Robert Fritzsch · **Nürnberg unterm Hakenkreuz**

1 *Bei den alljährlichen «Reichsparteitagen» benutzte das nationalsozialistische Regime mit genauer Berechnung Nürnbergs Stadtbild und Tradition als Kulisse für seine wirkungsvoll inszenierten Selbstdarstellungen.*
Im Bild: SA-Kolonnen auf dem Marsch durch die Altstadt Richtung «Adolf-Hitler-Platz» beim «Parteitag der Ehre» 1936.

Robert Fritzsch

Nürnberg unterm Hakenkreuz

Im Dritten Reich 1933–1939

Droste Verlag Düsseldorf

Sonderausgabe für den Gondrom Verlag GmbH & Co. KG, Bindlach, 1990
© 1983 Droste Verlag GmbH, Düsseldorf
Einband- und Buchgestaltung: Helmut Schwanen
Foto: Zeitgeschichtliches Archiv Dr. Lotsch
Lithos: Droste Repro
Gesamtherstellung: Zumbrink Druck GmbH, Bad Salzuflen
ISBN 3-8112-0696-6

Inhalt

2 *Die Auseinandersetzungen um eine neue politische Ordnung nach dem Ende der Monarchie und des verlorenen Krieges verliefen in der Arbeiter- und Industriestadt Nürnberg weniger gewalttätig und dramatisch als in Berlin, München und anderen Großstädten. Die gemäßigten «Mehrheitssozialisten» behaupteten, im Verein mit der Staatsgewalt, ihre Vormachtstellung gegenüber radikal-revolutionären Kräften.*
Im Bild: Reichswehr-Truppen am Königstor bei einem Zusammenstoß mit Spartakisten am 17. März 1920.

6

1. Die Jahre davor
Nürnberg zwischen 1918 und 1933

Es war die in Nürnberg erscheinende «Fränkische Tagespost», die als erste Zeitung im damaligen Deutschen Reich den Rücktritt des Kaisers forderte. Das geschah in ihrem Leitartikel am 10. Oktober 1918. Kaum einen Monat später war die Forderung dieser sozialdemokratischen Zeitung erfüllt. In der Nacht vom 8. zum 9. November übergab der in Nürnberg kommandierende General, Monarchist alter Schule, seinen Degen an den neugebildeten Soldatenrat, die Vertretung der aufständischen Soldaten. In den anschließenden Wirren des Winters 1918/19 behielten die «Mehrheitssozialisten», d. h. die alte SPD, der es mehr um verfassungsgemäße Reformen als um gewaltsamen Umsturz zu tun war, ihre Vormachtstellung. Die radikaleren Kräfte um die «Unabhängige» SPD (USPD), die sich 1917 von der SPD abgespalten hatte, und um den «Spartakusbund», aus dem die KPD hervorging, fanden unter der Nürnberger Arbeiterschaft nur mäßigen Anhang.

Im 19. Jahrhundert war die Arbeiterschaft zur prägenden politischen Kraft in der Stadt geworden. Die einstige Reichsstadt, Stadtstaat im alten Deutschen Reich mit beträchtlichem Landgebiet und nach 1500 Wirtschafts- und Kulturzentrum von europäischem Rang, war mit ihrer Eingliederung in das Königreich Bayern im Jahr 1806 zu einer zweitrangigen Provinzstadt herabgekommen. Aber auf den Abstieg folgte eine Wiedergeburt unter doppeltem Vorzeichen: zunächst die romantisch verklärte Entdeckung Nürnbergs als «des Reiches Schatzkästlein», als Inbegriff alter deutscher Kunst und Kultur. Und es folgte, ebenfalls im 19. Jahrhundert, die Entwicklung zum «industriellen Herz Bayerns» und zur größten bayerischen Arbeiterstadt. Die ersten Wahlen nach dem Umbruch 1918 bestätigten den Vorrang der SPD: bei der Wahl zur «Deutschen Nationalversammlung» im Januar 1919 errangen die «Mehrheitssozialisten» 51,6 % der abgegebenen Stimmen. Auch bei der Neuwahl

der Gemeindevertretung im Sommer 1919 blieben sie stärkste Partei. Der im folgenden Jahr gewählte Oberbürgermeister gehörte zwar der «Deutschen Demokratischen Partei» an, konnte sich aber während seiner gesamten Amtszeit bis 1933 auf ein sicheres Bündnis von Sozialdemokraten und Liberalen stützen. (Der 2. Bürgermeister war ein Sozialdemokrat.) Durch seine stabilen «links-liberalen» Mehrheitsverhältnisse geriet Nürnberg in ein politisches Spannungsverhältnis zum Freistaat Bayern, in dem konservativ-gegenrevolutionäre, nationalistisch-antirepublikanische und föderalistische Strömungen eine maßgebliche Rolle spielten; Bayern entwickelte sich zur rechts-gerichteten «Ordnungszelle» mit deutlicher Frontstellung gegen das Verfassungs- und Regierungssystem der Weimarer Republik.

Nach dem verlorenen Krieg und dem Umbruch begannen auch in der Arbeiter- und Industriestadt

> Die christlichen Vereinsmitglieder «erachten es als ihre vaterländische Pflicht, gegen die unerhörte Verunglimpfung ihrer jüdischen Mitbürger hier und anderwärts entschiedenste Verwahrung einzulegen. Unsere jüdischen Mitbürger haben an der Front und in der Heimat ihre vollste Pflicht und Schuldigkeit getan ... Mitbürger, laßt Euch durch dieses jeden rechtlich denkenden Menschen beschämende Treiben nicht beeinflussen; wahrt Eure Menschenwürde! Denkt an die hohe Kulturstufe, auf der bisher das deutsche Volk gestanden».
>
> *Aufruf des «Vereins zur Abwehr des Antisemitismus» Januar 1919*[1]

3 *An der Spitze der Stadt stand von 1920 bis 1933 Ober-*
bürgermeister Dr. Hermann Luppe (1874–1945). Er ge-
hörte zu den bedeutendsten Kommunalpolitikern der Wei-
marer Republik, trat aktiv für Demokratie und Republik
ein und konnte sich während seiner gesamten Amtszeit auf
ein stabiles Bündnis von Sozialdemokraten und Liberalen
stützen. Von den Nationalsozialisten wurde er erbittert be-
kämpft und nach ihrer Machtübernahme aus dem Amt
verdrängt.

Pflichterfüllung der deutschen Juden zu erinnern:
von den jüdischen Bürgern Nürnbergs waren 1543
Kriegsteilnehmer, 178 waren gefallen. (Im Ersten
Weltkrieg leisteten rd. 100 000 Juden Kriegsdienst
auf deutscher Seite, 12 000 verloren dabei ihr Leben.) Der deutsche Antisemitismus hatte allerdings eine böse, tief ins Mittelalter zurückrei-
chende Tradition. Zu den alten religiösen, wirtschaftlichen und sozialen Motiven kam im 19. Jahrhundert ein national und rassisch begründeter Antisemitismus hinzu. Gegen Ende des Jahrhunderts
fing er an, als politische Kraft sichtbar zu werden.
Am 1. August 1920 sprach auf einer Nürnberger
Versammlung des «Bundes Deutscher Kriegsteil-

4 *Der aus Bayerisch-Schwaben stammende Volksschul-*
lehrer Julius Streicher (1885–1946) unterstellte sich,
nachdem er sich seit Kriegsende in verschiedenen rechts-
radikalen Organisationen betätigt hatte, seinem südbaye-
rischen Konkurrenten Adolf Hitler und gründete im Ok-
tober 1922 die Ortsgruppe Nürnberg der NSDAP. Seit
1923 gab er außerdem das antisemitische Hetzblatt «Der
Stürmer» heraus.

Nürnberg politische Kräfte, die sich mit der Niederlage von 1918 und dem Ende der Monarchie
nicht abfinden konnten und die eine demokratisch-
republikanische Staats- und Gesellschaftsordnung
radikal ablehnten, sich zu organisieren und zu Wort
zu melden. Schon 1919 mehrten sich auch Anzei-
chen für einen wachsenden Antisemitismus.
Besonders beschämend war, daß es so kurz nach
Kriegsende schon nötig zu sein schien, an die

8

nehmer» ein Redner namens Adolf Hitler über den «Schmachfrieden von Versailles»[2]. Das war sein erster Auftritt in der Stadt. Zwei Jahre später formierte sich auch in Nürnberg eine Partei, die den rassischen Antisemitismus in seiner radikalsten Form zum Kernstück ihrer Ideologie und Politik machte. Julius Streicher, ein seinerzeit noch wenig bekannter Volksschullehrer, wurde zum Motor dieser Bewegung. Nach ruheloser Betätigung in verschiedenen völkisch-nationalistischen Parteien und Grüppchen unterstellte er sich seinem südbayerischen Konkurrenten Hitler und gründete am 20. Oktober 1922 die Ortsgruppe Nürnberg der «Nationalsozialistischen Deutschen Arbeiter-Partei» (NSDAP).

«Das Ziel des Nationalsozialismus ist eine Umgestaltung Deutschlands von Grund aus, eine Revolution, nicht ein braver frommstiller Aufbau. Uns geht der Kampf ums letzté. Die Kernfrage dieses Kampfes aber ist und bleibt die Judenfrage.»

Julius Streicher bei der Gründung der Nürnberger NSDAP 1922 [3]

Wie sein nunmehriger «Führer» Adolf Hitler machte Streicher sich zunächst als demagogischer Versammlungsredner einen Namen. Er hatte für alles und jedes – für den verlorenen Krieg, für den drückenden Friedensvertrag von Versailles, für außenpolitische und wirtschaftliche Schwierigkeiten, für die Inflation – eine Erklärung: «der Jude» war schuld. Pausenlos eifernd verkündete er, wie beispielsweise in einer Rede in Nürnberg im Herbst 1922: «Wir wissen, daß Deutschland frei sein wird, wenn der Jude aus dem Leben des deutschen Volkes ausgeschaltet ist.»[4]

Am 21. April 1923 erschien in Nürnberg erstmals eine Wochenzeitung mit dem Titel «Der Stürmer». Zunächst wetterte dieses von Streicher herausgegebene Blättchen vor allem gegen die lokale Kommunalpolitik, aber schon bald dominierte als Thema Nr. 1 eine unsäglich primitive Judenhetze. «Hungernde deutsche Mädchen in den Klauen geiler Judenböcke» – «Jüdische Mädchenhändler in

Nürnberg» – «Ritualmord? Wer ist der Kinderschlächter von Breslau?»: so lauteten in der Frühzeit des «Stürmer» charakteristische Schlagzeilen.[5] Zur Finanzierung seiner Zeitung schreckte Streicher auch vor dem Erpressen von Geschäftsleuten nicht zurück. Doch die Verbreitung des «Stürmer» blieb im ersten Jahrzehnt hauptsächlich auf Nordbayern beschränkt. Nach 1933 wurde er allerdings zu einem der bekanntesten Presseorgane im Dritten Reich. Auch wer ihn nicht selber las, hörte von ihm und wußte, von welcher Art er war.

Bei der Gemeindewahl 1924 wurden Streicher und fünf Gesinnungsgenossen in den Stadtrat gewählt. Durch ihren Einzug verschärfte sich die kommunalpolitische Situation in vorher nicht gekannter Weise. An der Spitze der Stadtverwaltung stand seit 1920 der Demokrat Dr. Hermann Luppe, einer der bedeutendsten Kommunalpolitiker der Weimarer Republik. Er selbst verstand sich als «der stärkste Exponent des neuen republikanischen Deutschland in Nordbayern».[6] Ihm, der «roten» Stadtratsmehrheit und der angeblich ebenfalls «roten» Stadtverwaltung galten die wütenden Angriffe der Nationalsozialisten.

«Während in München, Bamberg und Ingolstadt die Versammlungen von Hitler, Esser und Streicher verboten sind, darf Herr Streicher, unterstützt von seinem Gesinnungsgenossen Holz, einem entlassenen städtischen Beamten, in Nürnberg seine hetzerische und aufreizende Tätigkeit mit Genehmigung der Polizeidirektion Nürnberg ruhig fortsetzen ... Er hat dies, seit dem Deutschen Tag vom 2. Sept. 1923, dem Tag der Mobilmachung für den Hitlerputsch, in Wort und Schrift, in Versammlungen und seinem «Stürmer» in einer Weise getan, die jeder Beschreibung spottet, sodaß es heute keine Stadt in Deutschland gibt, in welcher die politische Verhetzung und Vergiftung einen solchen Grad wie in Nürnberg erreicht hat.»

Der SPD-Stadtrat Dr. Süßheim in einem Brief an den Bay. Ministerpräsidenten am 30. März 1925 [7]

DEUTSCHER TA
i. NÜRNBERG

*5/6 Anfangs September 1923 veranstalteten rechtsgerichtete Kreise in Nürnberg einen «Deutschen Tag». Auf dem Haupt-
markt nahmen Hitler und Streicher, umgeben von pensionierten Generalen und «national» gesinnten Honoratioren, den
Vorbeimarsch von soldatischen Traditionsverbänden, von «vaterländischen» Vereinigungen und uniformierten Nationalsozialisten ab. Der «Deutsche Tag» war eine republikfeindliche Demonstration und absichtliche Provokation in der «roten»
Arbeiter- und Industriestadt.*

Die seit 1923 verstaatlichte Polizei entwickelte sich
zu einem deutlichen Gegengewicht gegen die entschieden republikanisch-demokratische Stadtverwaltung des «roten» Nürnberg und zeigte eine
wohlwollende, zuweilen geradezu entgegenkommende Haltung gegenüber rechtsgerichteten antidemokratischen Kräften. Von der Sympathie und
Parteilichkeit der Polizeiführung profitierte die
Nürnberger NSDAP in ihrer Frühzeit erheblich.
Franken errang nach 1923 eine zentrale Bedeutung
für die künftige Entwicklung der NSDAP. Das
hing mit der ungemein dynamischen Persönlichkeit
Streichers zusammen, der wegen seiner Beteili-

gung am «Hitler-Putsch», dem mißglückten Staatsstreichversuch vom November 1923, inzwischen
aus dem städtischen Schuldienst entlassen war und
der bald zum maßgeblichen Organisator des Nationalsozialismus in Nordbayern aufstieg. Das hatte
aber auch mit der Bevölkerungsstruktur dieser Re-
gion zu tun. Ihre Anhänger fand die NSDAP zunächst vor allem im unteren Mittelstand, d. h. unter kleinen Gewerbetreibenden, Händlern, Hand-
werkern, Beamten, in Städten und Kleinstädten
mit überwiegend protestantischer Bevölkerung.
Beide, der mittelständische Bevölkerungsanteil
und der protestantische Bevölkerungsanteil, wa-

10

ren in den Regierungsbezirken Mittelfranken und
Oberfranken überdurchschnittlich hoch.

Eine Reihe politischer Großveranstaltungen in den
zwanziger Jahren machte die überlokale Bedeutung Nürnbergs sehr augenfällig. 1922 fand in der
Stadt der Einigungsparteitag der vorübergehend
getrennten Flügel der deutschen Sozialdemokratie
statt. 1923 folgten die Republikgegner mit dem
«Deutschen Tag», einer demonstrativen Heerschau soldatischer Vereinigungen und uniformierter Nationalsozialisten. In diesen Jahren gab es
zahlreiche militärische Traditionsfeiern in Nürn-

berg, z. B. den «Waffentag der bayerischen Fußar-
tillerie zur Erinnerung an die Schlacht von Sedan
1870», die häufig antirepublikanische und mon-
archistische Züge trugen und in der «roten» Arbeiterstadt das politische Klima erhitzten. 1927 veranstalteten die Nationalsozialisten erstmals ihren
«Reichsparteitag» in Nürnberg. Im Sommer 1929
hielten ihre Gegner das «2. Deutsche Arbeiter-
Turn- und Sportfest» ab, über den Anlaß hinaus eine
mächtige Demonstration für die Republik. Kurz
darauf veranstalteten die Nationalsozialisten abermals einen «Reichsparteitag» in dieser Stadt.
Sie entschieden sich seinerzeit für Nürnberg nicht

7 Nach dem Verbot der NSDAP – als Folge ihres gescheiterten Staatsstreichversuchs vom 9. November 1923 – gründete Streicher als Auffang- und Nachfolgeorganisation die «Deutsche Arbeiter-Partei», die mit Nürnberg als Zentrale in ganz Mittelfranken eine rege Tätigkeit mit unverblümt nationalsozialistischer Tendenz entwickelte.
Im Bild: Standarte dieser Partei mit den Namen von Hitler, Streicher und dem bekannten Weltkriegsgeneral Ludendorff, einem anderen Anführer des Putsches.

Richtungen – das unverhüllte Entgegenkommen der Polizei gegenüber rechtsorientierten Gruppen und Parteien – schließlich ein besonders zuverlässiger, straff organisierter Anhängerstamm am Ort unter dem Gauleiter Streicher. Schon zu diesen frühen Parteitagen der NSDAP gehörten als feste Bestandteile Aufmärsche, Fahnenweihen und Totenehrungen. Es ging um den öffentlichen Beweis von Stärke und Geschlossenheit der Partei. Anhänger und Sympathisanten sollten mobilisiert und in ihrem Selbstbewußtsein gestärkt, die politischen Gegner provoziert und eingeschüchtert werden. Geschickt bezogen dabei die Nationalsozialisten in ihre Veranstaltungen das mittelalterliche Stadtbild und die geschichtliche Rolle der früheren Reichsstadt als Kulisse ein, um Freund und Feind zu suggerieren, die neue «nationale Bewegung» stehe in einer lebendigen Verbindung mit Glanz und Größe des alten Deutschen Reiches. Wie schonungslos die Nationalsozialisten schon damals ihre Ziele offenlegten, zeigte sich beispielsweise auf dem Parteitag 1927 in einer Rede des Landtagsabgeordneten Dr. Dinter: seine Forderungen zur Lösung der «Judenfrage» nahmen in vielem die acht Jahre später erlassenen «Nürnberger Gesetze» vorweg.
Die auftrumpfend inszenierten Reichsparteitage von 1927 und 1929 – die von Tumulten, Beleidigungen und verbotenem Uniformtragen begleitete lautstarke Obstruktionspolitik der Nationalsozialisten im Nürnberger Stadtrat – das pausenlose Ge-

etwa deshalb, weil die Wahlergebnisse dort für sie besonders günstig ausfielen (was keineswegs zutraf). Vielmehr gaben andere Faktoren den Ausschlag: die zentrale Verkehrslage der Stadt und ihre guten Eisenbahnverbindungen nach allen

zeter gegen den «Schandfrieden von Versailles», gegen die «Novemberverbrecher» und das «System» der Weimarer Republik, gegen Marxisten, Demokraten, Liberale, Juden: das alles konnte nur oberflächlich darüber hinwegtäuschen, daß die tatsächliche Stärke der NSDAP ihrem lärmenden Auftreten in der Öffentlichkeit nicht – noch nicht entsprach. Bei den Wahlen zwischen Mitte 1924 und 1928 bewegte sich der Stimmenanteil der Nationalsozialisten stets um 10%. Die SPD dagegen erreichte zu dieser Zeit jeweils um oder über 40%. Umfangreiche Wohnanlagen, ein vorbildliches Sportstadion, neue Krankenhäuser und Kulturbauten entstanden, die öffentlichen Verkehrsmittel wurden ausgebaut, zahlreiche Dörfer eingemeindet. Binnen weniger Jahre wuchs das Stadtgebiet um über 55%. Die unbestreitbaren Erfolge von Stadtrat und Stadtverwaltung waren – im Rahmen der allgemeinen außen- und innenpolitischen Konsolidierung der Republik – kein günstiger Nährboden für die Nationalsozialisten.

Bei der Stadtratswahl im Dezember 1929, als die ersten Auswirkungen einer Weltwirtschaftskrise spürbar zu werden begannen, konnte die NSDAP 15,6% der abgegebenen Stimmen für sich buchen. Je mehr im Gefolge dieser Krise für große Teile der Bevölkerung die wirtschaftliche Lage sich zu verschlechtern drohte, je stärker die Arbeitslosigkeit zunahm, desto stärker profitierte davon die NSDAP – desto bereitwilliger wurden auch ihre antisemitischen und antidemokratischen Parolen aufgenommen. Alle Schwierigkeiten und Mißstände hatten für die Nationalsozialisten eine gemeinsame Wurzel: Juden und «Judenknechte» waren am Werk. Der ständige Appell an antisemitische Vorurteile und völkisch-nationalistische Ressentiments fand auch und gerade in christlich-evangelischen Kreisen vorbereiteten Boden. Ein aufschlußreiches Zeugnis dafür lieferte eine Artikelfolge über das Verhältnis von Christen und Juden im Deutschland der Gegenwart, verfaßt vom Direktor des Evang. Predigerseminars Nürnberg, einer renommierten Ausbildungsstätte für junge Theologen. Einen schrankenlosen Antisemitismus lehnte er ab und erinnerte an das Gebot christlicher Nächstenliebe auch gegenüber Juden. Aber die Forderung nach «Reinhaltung des Blutes», ein zentrales Ziel des Nationalsozialismus, begrüßte er ausdrücklich. In mehrfacher Hinsicht gab es Übereinstimmung mit «völkischen Idealen».

> Wer die jüdische Lebensauffassung kennt, «die alles unter den Gesichtspunkt des Geldverdienens rückt, der alles, selbst die zartesten und innerlichsten Dinge wie Heirat und Ehe, zum Geschäft wird, wer den alles nivellierenden, die sittlichen Grundlagen unseres Volkstums zersetzenden, bis zur Laszivität ausschweifenden jüdischen Geist kennt ... der kann sich ein Bild davon machen, was unserem Volk drohte, wenn dieser Geist noch weiter als bisher schon um sich griffe und zum Gemeingut unseres Volkes würde. Um unsere gute deutsche, innerliche, idealistisch gerichtete Art wäre es dann geschehen ... Gegen diese Art der ‹Verjudung› unseres Volkes können wir nicht energisch genug ankämpfen».
>
> *D. Hans Meiser im Evang. Gemeindeblatt Nürnberg 1926* [8]

Das war keine unbedeutende Einzelmeinung: der Artikelschreiber stand sieben Jahre später als Landesbischof an der Spitze der Evang. Lutherischen Kirche Bayerns.

Die Nürnberger Industrie, die ihre Schwerpunkte im Maschinen- und Fahrzeugbau, in der Elektroindustrie und im metallverarbeitenden Gewerbe hatte, war stark vom Export abhängig. Deshalb wirkte sich die Weltwirtschaftskrise ab 1929/30 auf Nürnberg und seine Arbeitsplatzsituation besonders hart aus. Im Januar 1930 gab es in der Stadt über 28 000 Arbeitslose, ein Jahr später über 41 000. Die Nürnberger Arbeitslosen-Quoten lagen beträchtlich über dem Reichs- und (bayerischen) Landesdurchschnitt. Arbeitslosigkeit bedeutete seinerzeit für die Betroffenen und ihre Familien massive wirtschaftliche Not, ja häufig regelrechtes Elend: die Unterstützungssätze wurden laufend gesenkt und mindestens der vierte Teil der Arbeitslosen erhielt überhaupt keine öffentliche Unterstützung. Bei der «Katastrophenwahl» vom 14. September 1930 – die Zahl der von den Nationalsozialisten errungenen Reichstagssitze stieg von 12 auf 107! – entschied sich in Nürnberg nahezu jeder vierte Wähler für die NSDAP (24% – dagegen

13

Selbsterhaltung oder Selbstmord?

Selbsterhaltung ist, wenn mir Wohl und Wehe meines Volkes und meiner Kinder über Wohl und Wehe fremder Völker gehen.

Selbsterhaltung ist, wenn ich meine Ehre, mein Gut und Blut bis zum letzten Atemzuge verteidige.

Selbsterhaltung ist, wenn ich meine mir heilige Rasse rein halte und auch meinen Kindern beibringe, daß die „Rassenfrage der Schlüssel zur Weltgeschichte ist".

Selbsterhaltung ist, wenn ich jedes und auch das größte Opfer nicht scheue, um mein geschändetes, entehrtes und betrogenes Volk wieder wehrfähig und geachtet vor der Welt zu machen.

Selbsterhaltung ist, wenn ich zu meinen Volksvertretern nur mutige, fähige, kampferprobte Männer wähle, die für die deutsche Freiheitsbewegung auch zu sterben wissen, wie dies der 9. November 1923 an der Feldherrnhalle in München bewiesen hat.

Selbsterhaltung ist, wenn ich durch den Beitritt zur völkischen Bewegung um die Freiheit, den Bestand und die Ehre meines deutschen Volkes kämpfen darf.

Selbsterhaltung ist, wenn ich deutsche Zeitungen lese, in deutschen Geschäften kaufe, deutsche Aerzte und deutsche Rechtsanwälte wähle.

Selbstmord ist, wenn ich über dem Wohl fremder Rassen und Völker mein eigenes Volk vergesse.

Selbstmord ist, wenn ich um eitlen Goldes oder falschen Ruhmes willen meine Ehre, mein Gut und Blut nichtswürdig verschachere, verschleudere und verkaufe.

Selbstmord ist, wenn ich mich selbst oder meine Kinder gedankenlos oder ehrlos an Niederrassige ausliefere.

Selbstmord ist, wenn ich das Rückgrat meines Volkes durch Auslieferung der Waffen gegen Judasgeld zerbrechen lasse.

Selbstmord ist, wenn ich Memmen statt Männer wähle, die zum Feinde halten und die mich durch den Irrsinn der Internationale im November 1918 zum erbärmlichsten Sklaven der Welt erniedrigt haben.

Selbstmord ist, wenn ich einer Partei beitrete, die den Begriff „Vaterland" mißachtet und in ihrer Nichtswürdigkeit in der roten Internationale ihr Heil, statt ihr Unheil erblickt.

Selbstmord ist, wenn ich jüdisch geleitete Zeitungen lese, in jüdischen Geschäften kaufe, jüdische Aerzte und jüdische Rechtsanwälte wähle.

Deutscher, du weißt jetzt, was einzig du zu tun hast, denn nur der gerade steile Weg führt zum Ziel!

Wähle den Völkischen Block!

Von den Kandidaten des Völkischen Blocks für die 6 Stimmkreise Nürnberg kann

in den **Stimmkreisen 1, 2 und 4**
nur Julius Streicher, Hauptlehrer

in den **Stimmkreisen 3, 5 und 6**
nur Georg Wiesenbacher, Mechaniker

gewählt werden.

Jede Streichung oder Aenderung des Stimmzettels bedeutet Stimmverlust!

Lesen! **Opfern!** **Werben!**

Sehr beträchtliche Geldmittel sind erforderlich für den Wahlkampf, darum ist es ernsteste Pflicht eines jeden treuen völkischen Deutschen — Mann wie Frau — für den

Wahlkampfschatz des Völkischen Blocks (Wahlkreis Mittelfranken)

Postscheckkonto Nürnberg Nr. 17775: Obergendarmeriehauptmann Friedrich Bayerlein

8/9 *Als Dachorganisation der verschiedenen Tarn- und Nachfolgeverbände der verbotenen NSDAP beteiligte sich der «Völkische Block» an den Wahlkämpfen des Jahres 1924. Unübersehbar war sein radikal-antisemitischer Zug. Einer der Nürnberger Spitzenkandidaten war Streicher, der in den Bayerischen Landtag und auch in den Nürnberger Stadtrat gewählt wurde. Nach der Aufhebung des NSDAP-Verbots und der vorzeitigen Haftentlassung Hitlers schloß er sich, entgegen der Zerstrittenheit im völkischen Lager, vorbehaltlos wieder Hitler und dessen neugegründeter «Bewegung» an.*

SPD: 38,4 % – KPD 8,1 %). Der Durchbruch der NSDAP zur Massenpartei schien nun unaufhaltsam zu werden: bei der Landtagswahl 1932 konnte sie in Nürnberg mehr als 3½mal so viele Stimmen wie bei der Landtagswahl vier Jahre zuvor gewinnen und wurde damit erstmals stärkste Partei in der «roten» Arbeiter- und Industriestadt. Bei der Reichstagswahl im Juli 1932 konnte sie ihren Stimmenanteil gegenüber dem Ergebnis von 1930 nochmals um mehr als 50 % steigern. Die Massenarbeitslosigkeit erreichte einen trostlosen Höhepunkt: im März 1932 kamen auf 416 000 Einwohner 60 481 Arbeitslose. Jeder dritte Nürnberger Berufstätige war arbeitslos! Öffentliche und private Einrichtungen versuchten zu helfen, wo und wie immer zu helfen war – z. B. durch Kinderspeisun-

Deutsches Volk!

Willst Du frei werden oder als Sklavenvolk untergehen?

Das deutsche Volk ist jetzt vor die Wahl gestellt, zu leben oder schimpflich unterzugehen! Deutschlands Todfeinde, die ihren Daseinszweck nur in der Befriedigung ihrer unersättlichen Macht- und Geldgier erblicken, liegen mit tückischer Bosheit und verdoppelter List auf der Lauer, die

Volkseinfalt und deutsche Gutgläubigkeit

auf Irrwege zu locken. Die durch unselige Parteierziehung um ihre gesunde Denkrichtung gebrachten Parteimassen sollen wieder einmal unter Vorspiegelung aller erdenklichen Schrecknisse und gleißnerischen Versprechungen zur falschen Wahl gegen sich selbst verleitet werden, dem innern und äußern Feind zum Gaudium, ihrem eigenen Volke zum Verderben. Kein Volk der Erde ist völkisch so mißleitet, so arglos in der Deutung der Feindessprache, so duldsam gegen seinen ärgsten Todfeind und so grausam gegen seinen Blutsbruder, wie das wegen seiner hohen Eigenschaften, wegen seiner Gerechtigkeits- und Wahrheitsliebe so verkannte und tief gehaßte deutsche Volk!

Deutscher, lerne das doppelte Gesicht Deiner Feinde schauen, die sich als Deine „Volksführer" und „Freunde" maskieren. Denke an die Zwangswirtschaft des Großjuden Rathenau! Während das deutsche Wirtsvolk hungerte, unter schweren körperlichen Opfern sein tägliches Brot von den Bauern am Lande erbettelte, prahlte das Gastvolk auf Deiner eigenen Scholle. Als Tausende Deutscher verhungerten, konntest Du später die bekannten großen Plakate lesen: „Helfet den Hungernden", Würger und Wohltäter in einer Person! Erkennst Du das doppelte Gesicht? Ihre Totengarde und das entsetzliche Bild mit dem toten Soldaten im Drahtverhau sind die gleiche Heuchelei, denn waren es nicht ausschließlich die großen Judenzeitungen Amerikas, Englands, Frankreichs, Rußlands, Italiens, allen voran die jüdische Northcliffe-Lügenpresse, die jahrelang mit ausgesuchter Bosheit und Verleumdungssucht die Völker gegen Deutschland und sein ahnungsloses Volk so lange hetzten und schürten, bis die Gegner Deutschlands kriegsreif waren und das deutsche Volk mitten im Frieden überfielen. In eigener Schuldbekenntnis verzichten die Hintermänner der Sozialdemokratie in ihrem Plakat „Parade der Toten" darauf, die durch den jüdisch-marxistischen Bolschewismus hingeschlachteten vielen Millionen von Toten Rußlands allein bildlich in einer Sargreihe darzustellen. Diese Sargreihe würde die Strecke von Paris bis Odessa nicht nur einmal, sondern

mindestens dreimal ausfüllen.

Lest die Geheimnisse der Weisen von Zion und Ihr werdet Alles, Alles begreifen.

Deutscher, höre nicht auf Schmeichler und Heuchler; ihr Sirenengesang hat Dir seit dem November 1918 nichts als Unglück, Schmach, Schande, Krankheit, Entrechtung, Hunger und Tod gebracht. Dies allein sind die Errungenschaften des jüdischen Revolutionsverbrechens.

Wählt keine Parteimenschen, sondern nur noch tapfere, ehrliche deutsche Männer, die todesmutig für Eure Freiheit und die Ehre Eures Vaterlandes ihre eigene Freiheit und ihr Blut dahingeben!

Adolf Hitler

und seine Getreuen haben uns ein hehres Beispiel gegeben, das uns inbrünstig an den deutschen Sieg und die deutsche Freiheit glauben läßt!

Mit Parteigestank wird die Freiheit nicht erobert, sondern nur mit Taten, und der rücksichtslosen Aufrollung geschichtlich feststehender Tatsachen.

Der Völkische Block wird den falschen Machthabern zeigen, daß das deutsche Volk seine Fesseln, die Lüge und ehrloser Verrat aufzwangen, sprengen wird. Es wird sich nicht mehr länger beugen, entrechten, foltern, ausweisen, erschießen, auspeitschen, ins Zuchthaus werfen und belügen lassen. Es wird sich frei machen und die Freiheit seinen unter Fremdherrschaft schmachtenden Brüdern bringen.

Der Völkische Block ist die einzige Wahlorganisation, die völlig unabhängig ist von Großmächten, die der Freiheit hindernd im Weg stehen. Der Völkische Block ist weder gebunden an die Hochfinanz und die Freimaurerei, noch an das Judentum, noch an Parteien oder an — Rom.

Wenn Ihr Euch nicht selbst zum Spott werden, wenn Ihr Euren Kindern eine ehrenvolle glückliche Zukunft bringen, wenn Ihr durch die Macht eines geeinten Volkswillens den Sieg der Freiheit erringen wollt, wenn Ihr Wahrheit und Ehre über Alles liebt, dann wählt, was ihr wählen müßt,

die Liste des
⛤ Völkischen Blocks! ⛤

Lesen!   Opfern!   Werben!

Sehr beträchtliche Geldmittel sind erforderlich für den Wahlkampf, darum ist es ernsteste Pflicht eines jeden treuen völkischen Deutschen — Mann wie Frau — für den

Wahlkampfschatz des völkischen Blocks [Wahlkreis Franken]

Postscheckkonto Nürnberg Nr. 17770: Oberzollamtmann Friedrich Bayerlein

nach Möglichkeit immer und immer wieder ausgiebigst zu opfern und auch in Freundes- und Bekanntenkreisen entsprechend

10 *Im Sommer 1927 hielten die Nationalsozialisten ihren «Reichsparteitag» erstmals in Nürnberg ab. Die Wahl der Stadt hing mit ihrer zentralen Verkehrslage, dem deutlichen Entgegenkommen der (verstaatlichten) Polizei und einem besonders zuverlässigen und straff organisierten Anhängerstamm am Ort zusammen.*
Im Bild: uniformierte Teilnehmer am Königstor.

11 *Auch 1929 veranstaltete die NSDAP ihren «Reichsparteitag» in Nürnberg.*
Im Bild: der wenig später verunglückte und zum nationalsozialistischen Märtyrer erhobene SA-Führer Horst Wessel an der Spitze seiner Berliner Einheit nach der Ankunft am Nürnberger Bahnhofsplatz. Das von Horst Wessel gedichtete Lied «Die Fahne hoch» war im Dritten Reich zweite Nationalhymne und wurde stets im Anschluß an das «Deutschlandlied» gespielt und gesungen.

gen, Kohlenverteilungen, Abgabe verbilligter Lebensmittel, Einrichtung von «Erwerbslosenküchen», kostenlose Freizeit- und Bildungsangebote. Aber alle Hilfsmaßnahmen hielten mit dem galoppierenden Anwachsen von Not und Verzweiflung auch nicht annähernd Schritt. Es waren allerdings nicht die Massen von Arbeitslosen, die sich Hitlers Partei anschlossen und sie wählten. Es waren in der Hauptsache (Klein)Bürgertum und Mittelstand – Handwerker, Kaufleute, Angestellte, Beamte – die, alarmiert und verunsichert durch das Anwachsen der Arbeitslosigkeit und des Kommunismus, ihr Heil im Nationalsozialismus erwarteten und zu seinem rapiden Aufstieg beitrugen. Während bei der Septemberwahl 1930 die Nationalsozialisten in einem typischen Nürnberger Arbeiterviertel nur 3,2% der abgegebenen Stimmen und in einem ausgesprochenen «Mischviertel» 18,9% errangen, waren es in einem überwiegend mittelständisch geprägten Viertel und in einem als «vornehm» geltenden Viertel jeweils über 33%. Und ähnlich deutlich bei der Reichstagswahl im Juli 1932: in dem erwähnten Arbeiterviertel 7,7% für die NSDAP, in dem «Mischviertel» 28,5% – dagegen in dem Mittelstandsviertel und in dem «vornehmen» Viertel schon 1932 absolute Mehrheiten für die NSDAP. Auch die KPD, die politische Heimat vieler verelendeter Arbeitsloser jener Jahre, erstarkte in der Industrie- und Arbeiterstadt Nürnberg beträchtlich und konnte ihre Stimmenanteile beinahe verdoppeln.

Mit dem Anwachsen der äußersten Rechten und der äußersten Linken verschärfte sich die Situation zusehends. Schon seit Jahren gab es gewalttätige Auseinandersetzungen zwischen den Kampfverbänden der politischen Extreme: der «Sturmabteilung» der NSDAP (abgekürzt: SA) und dem «Roten Frontkämpferbund» der KPD. Anfangs der dreißiger Jahre verstärkten sich auch die Aktivitäten der von republiktreuen Parteien und Gruppen gebildeten Selbstschutz- und Wehrorganisationen. Neben den Schlägereien und Überfällen, die NSDAP- und KPD-Anhänger sich gegenseitig lieferten, kam es auf den Straßen und in den Versammlungssälen der Stadt immer häufiger zu Zusammenstößen zwischen NSDAP und SA auf der einen Seite und den Republikschutzverbänden «Reichsbanner Schwarz-Rot-Gold» und «Eiserne Front» auf der anderen. Besonders im Jahr 1932, in dem kurz hintereinander fünf Wahlen stattfanden, herrschte im politischen Leben der Stadt eine hochexplosive Stimmung. «Bürgerkrieg in der Sulzbacher Straße»[9], «Nürnberg der Unruheherd in Bayern»[10]: so lauteten bezeichnende Schlagzeilen im Sommer 1932.

> «Und das alles nur, weil die Nazi der Anschauung sind, daß ihnen die Polizei hilft, weil aber auf der anderen Seite die Republikaner zu der Überzeugung kommen müssen, daß tatsächlich die Nürnberger Polizei mit zweierlei Maß mißt.»
>
> «Fränkische Tagespost» 3. August 1932[11]

> «Der Marsch des Faschismus ist aufgehalten, die nationalsozialistische Bewegung ist im Rückgang begriffen ... Im Vertrauen auf die Stärke unserer Organisation, im Vertrauen auf den Sozialismus wollen wir an die Aufbauarbeit des Jahres 1933 herantreten.»
>
> SPD-Ortsverein Nürnberg, Jahresbericht 1932[12]

Bei der Entwicklung der Arbeitslosigkeit begann sich im Frühjahr 1932 das Blatt allmählich zu wenden. Der Höhepunkt war überschritten. Seither besserte sich die Wirtschafts- und Arbeitsmarktlage sehr zögernd aber beständig (das mußte selbst der später von der nationalsozialistischen Stadtverwaltung für diesen Zeitraum herausgegebene Ver-

13 *Die Arbeitslosigkeit als Folge der Weltwirtschaftskrise von 1929/30 nahm in der Industriestadt Nürnberg erschreckende Ausmaße an. Ihre Arbeitslosen-Quote lag beträchtlich über dem Landes- und Reichsdurchschnitt. Alle privaten und öffentlichen Hilfsmaßnahmen hielten mit dem galoppierenden Anwachsen von Not und Elend auch nicht annähernd Schritt.*
Im Bild: Speisung bedürftiger Kinder in einer Nürnberger Fabrik 1930.

Im Herkules Velodrom

spricht am **Donnerstag,** den **21. April 1932,** abends 8 Uhr

Julius

Streicher

über

Die Juden sind unser Unglück!

Volksgenossen aller Stände und Parteien! Männer u. Frauen Nürnbergs, kommt in unsere

Massenversammlung!

Saalöffnung 6 Uhr   Eintritt 30 Pfg. Erwerbslose gegen Ausweis 10 Pfg.

Juden haben keinen Zutritt!

Reservierte Plätze zu RM. 1.— (um Zuschlag) sind bei der Buchdruckerei Mönninger, Maxplatz 44, Großdeutsche Buchhandlung, Burgstraße 17, Jakob Reinhardt, Tetzelgasse 24, Josef Heinrichs, Allersbergerstraße 53, in der Geschäftsstelle, Hirschelgasse 26/0 u. an der Abendkasse zu haben.

Wer sich eine Karte für einen numerierten Platz verschafft, hat auch dann noch Zutritt, wenn der Saal bereits polizeilich gesperrt ist.

Musik: Kapelle Heyland

Nationalsozialistische Deutsche Arbeiterpartei, Ortsgr. Nürnberg

12 *Ein maßloser Judenhaß stand im Zentrum von Streichers Weltanschauung und seiner unermüdlichen Tätigkeit als Redner und Demagoge. Für alle Notstände der Zeit hatten er und seine Anhänger eine Erklärung: schuld daran waren die Juden. Die giftigen Parolen und Appelle blieben besonders in kleinbürgerlich-mittelständischen Schichten nicht ohne Wirkung.*

waltungsbericht einräumen). Bei der Reichstagswahl im November 1932 verlor die NSDAP erheblich an Stimmen: ihr Nürnberger Stimmenanteil sank um über 13% gegenüber dem Ergebnis bei der Reichstagswahl im Juli.

War ein vorsichtiger Optimismus in demokratisch-republikanischen Kreisen an der Jahreswende 1932/33 vielleicht doch nicht gänzlich unbegründet?

◁ 14 *Nachdem sich der Stimmenanteil der NSDAP in Nürnberg jahrelang bei rund 10% festgefahren hatte, stieg er im Gefolge der Weltwirtschaftskrise steil nach oben. Ihrer wachsenden Mitgliederzahl und Bedeutung entsprechend, erwarb die Partei 1931 eine Villa in der Marienstraße und baute sie zum «Hitler-Haus», zum Sitz der örtlichen Parteileitung, um.*

15 *Neben der wirtschaftlichen verschärfte sich auch die innenpolitische Lage zusehends. Im Jahr 1932, in dem kurz hintereinander fünf Wahlen stattfanden, erreichten die Spannungen und Gewalttätigkeiten einen Höhepunkt. Immer wieder berichteten die Zeitungen von blutigen Zusammenstößen zwischen Nationalsozialisten und den von republiktreuen Kräften getragenen Selbstschutz- und Kampforganisationen «Reichsbanner» und «Eiserne Front».*

2. Machtübernahme – Gleichschaltung – Öffentliches Leben

Dann kam der 30. Januar 1933 – der Tag der Ernennung Hitlers zum Reichskanzler und der Bildung einer Regierung aus rechtsgerichtet-konservativen Kräften und Nationalsozialisten. In Nürnberg zogen am Abend des 1. Februar uniformierte Anhänger Hitlers und Mitglieder des Frontsoldatenbundes «Stahlhelm» zur Feier der in Berlin vollzogenen Machtübernahme mit brennenden Fackeln und Marschmusik durch die Straßen. Auf der anschließenden Massenkundgebung auf dem Hauptmarkt, eingeleitet durch den Choral «Wir treten zum Beten», hielt Gauleiter Streicher eine von Sieg- und Haßgefühlen aufgeladene Rede.

> «Der 30. Januar 1933 wurde von vielen Leuten nicht sofort in seinen Folgen durchschaut. Mir war sofort klar, daß trotz des Stärkeverhältnisses im neuen Reichskabinett die Nationalsozialisten sehr bald ihren Totalitätsanspruch durchsetzen würden.»
>
> *Oberbürgermeister Dr. Luppe in seinen Lebenserinnerungen*[1]

Für diejenigen Zeitgenossen, die sich an den äußeren Schein hielten, sah es in der Tat zunächst so aus, als ginge alles halbwegs «normal» weiter. Die «rote» Stadtverwaltung mit Dr. Luppe an der Spitze amtierte wie bisher – die Stadtratsarbeit nahm ihren gewohnten Fortgang – die nationalsozialistische Fraktion setzte ihren Oppositions- und Provokationskurs fort – nach der von der neuen Reichsregierung beschlossenen Auflösung des Reichstages begann ein neuerlicher Wahlkampf. Oberbürgermeister Luppe beteiligte sich aktiv daran und hielt noch wenige Tage vor der Wahl eine Kundgebung in Nürnberg ab gegen die neue von Hitler geführte Regierung, die er als Verbindung von «Reaktion und Faschismus» bezeichnete.[2] Auch Sozialdemokraten und «Eiserne Front» beteiligten sich am Wahlkampf in anscheinend ungebrochener Stärke. Berichte über Massenveranstaltungen versah die SPD-Parteizeitung mit so markigen Überschriften wie «Lieber tot als Sklav'!», «Das rote Nürnberg marschiert», «Nürnbergs Arbeiterschaft gelobt: Kampf für die Freiheit!»[3]. Aber das angeblich rote Nürnberg marschierte keineswegs geschlossen – von einem Kämpfen ganz zu schweigen. Es gab keine einzige gemeinsame Aktion der Arbeiterparteien. Die Kommunisten sahen auch zu diesem Zeitpunkt noch ihren Hauptgegner nicht in der NSDAP, sondern in der SPD. Die Sozialdemokraten glaubten als überzeugte Republikaner und Demokraten, die Auseinandersetzung mit dem Nationalsozialismus allein auf dem Boden der Verfassung und mit Hilfe des Stimmzettels führen zu können.

Am Vorabend der Wahl vom 5. März 1933 traten die beiden größten politischen Gruppierungen noch einmal mit Großveranstaltungen an die Öffentlichkeit. Lange Marschkolonnen von Nationalsozialisten und konservativen Verbänden zogen durch die Stadt, woran sich eine Kundgebung auf dem Hauptmarkt mit einer Totenehrung durch einen evangelischen Geistlichen und die Entzündung eines «Freiheitsfeuers» auf der Burgfreiung anschlossen. Einem Zeitungsbericht zufolge sagte Streicher in seiner dabei gehaltenen Rede, «auf dem Weg über den inneren Frieden werde Hitler den Frieden bringen, den wir ersehnen: den Weltfrieden. Die Parole laute: über das erlöste Deutschland zu einer erlösten Menschheit».[4] Die Gegenseite beendete den Wahlkampf ebenfalls mit einem Fackelzug und einer Großkundgebung. Der Hauptredner, der Reichstagsabgeordnete Schnep-

Fränkischer Kurier

Nürnberg-Fürther Neueste Nachrichten

Das Ziel jahrelangen Mühens:

Die nationale Front geschlossen

Das Reichskabinett
Hitler – Papen – Hugenberg – Seldte

Tag der Einigung!
Tag der Hoffnung!

Fränkische Tagespost

Fürther Zeitung
Nürnberg-Fürther Sozialdemokrat

Nürnberg-Fürth, Dienstag, 31. Januar 1933   63. Jahrgang

Hitler Arm in Arm mit den feinen Leuten

Reichstag am 7. Februar – Toleriert das Zentrum?

Hitler – Chef einer Koalitionsfirma

16 *Die Titelseiten Nürnberger Zeitungen am Tag nach
der Ernennung Hitlers zum Reichskanzler und der Bildung einer Regierung aus rechtsgerichtet-konservativen
Kräften und Nationalsozialisten. Der «Fränkische Kurier» war die Zeitung des konservativ-nationalen Bürgertums, die «Fränkische Tagespost» die Zeitung der Nürnberger Sozialdemokratie.*

Auch zusammen mit den Deutschnationalen hatten die Nationalsozialisten keineswegs (im Gegensatz zum Reich) die absolute Mehrheit erreicht.
Die politische Linke hatte sich dagegen erstaunlich
stark behauptet. Zusammengenommen hatten
SPD (32,7%) und KPD (8,9%) nahezu ebenso-
viele Stimmen wie die NSDAP. Und das, obwohl
die Wahlchancen der Links-Parteien ungleich
schlechter waren: seit dem den Kommunisten in
die Schuhe geschobenen Reichstagsbrand saßen
nicht nur von der KPD, sondern auch von der SPD
und dem «Reichsbanner» zahlreiche Funktionäre
in Haft – außerdem waren vielfach Versammlungs-
verbote, Redeverbote, Pressebeschränkungen verhängt worden.

Nach der Wahl, die dem neuen Reichskanzler Hitler
und seiner Regierung im Reich die absolute Mehrheit gebracht hatte, ging es mit dem trügerischen
Anschein von Beständigkeit und relativer Ruhe,
wie er bis dahin auf der politischen Bühne vieler
Länder und Gemeinden noch geherrscht hatte,

penhorst, äußerte dabei die Überzeugung, «die
Entscheidung über Demokratie werde auf einem
Boden ausgetragen, auf dem SPD und Eiserne
Front die Stärkeren seien».[5] Streicher und Schnep-
penhorst hatten wenig miteinander gemein – in ihren Prognosen am Vorabend der Wahl irrten beide
gleichermaßen.

Das Nürnberger Ergebnis der Reichstagswahl vom
5. März 1933 war in zweifacher Hinsicht besonders
bemerkenswert. Die NSDAP lag mit 41,7% unter
dem Reichsdurchschnitt (43,9%) und unter den
Ergebnissen in anderen nordbayerischen Städten.

Beim Antreten «erklärte der zuständige Ein-
heitsführer den SS-Männern, daß nun endgültig die Stunde der Befreiung gekommen
ist und daß heute in Nürnberg Revolution gemacht wird. Die Männer faßten ihre Stahl-
helme und Pg. Will, der damals der Fahnen-
träger der 3. SS-Standarte war, holte die
Sturmfahne des Sturmbannes I und marschierte an der Spitze seiner Kameraden zur
Deutschherrnwiese. Teilweise hatten die SS-
Männer Waffen mitgebracht, da bekannt geworden war, daß es diesmal wahrscheinlich
hart auf hart geht. Aber nicht alle Waffen waren so in Schuß, daß sie gebrauchsfertig gewesen wären und bei einem Zusammenprall
mit den Kommunisten oder Marxisten hätte
sicher der Gewehrkolben die Schußwaffe er-
setzt. Auf der Deutschherrnwiese hatten sich
inzwischen die Kameraden des Musikzuges
eingefunden und bald setzte sich der Zug in
Bewegung».

*Aus der Befragung von «Alten Kämpfern»
über ihre Erlebnisse am 9. März 1933*[5a]

17 *Am Wahlkampf zur Reichstagswahl am 5. März 1933 beteiligten sich – in anscheinend ungebrochener Stärke – auch die SPD und die Republikschutzorganisation «Eiserne Front».*
Im Bild: Kundgebung der «Eisernen Front» am 12. Februar 1933 auf dem Hauptmarkt, auf dem auch die Nationalsozialisten schon häufig Großveranstaltungen durchgeführt hatten. Drei Wochen später gehörte der Hauptmarkt zwölf Jahre lang ihnen allein.

schnell zu Ende. Gleichzeitig mit der Einsetzung des der NSDAP angehörenden ehem. Generals von Epp als Reichskommissar in Bayern durch die neue Reichsregierung und der verfassungswidrigen Ausschaltung der amtierenden Landesregierung schritten am 9. März 1933 auch die Nürnberger Nationalsozialisten zur Machtübernahme. Von der Deutschherrnwiese aus zogen SA- und SS-Männer zuerst zur Polizeidirektion und dann zum Rathaus und zur Kaiserburg und hißten unter dem Jubel einer großen Menschenmenge an diesen Gebäuden Hakenkreuzfahnen. Glockengeläut der drei größten evangelischen Kirchen der Stadt begleitete die Fahnenhissung am Rathaus. In demokratisch-republikanischen Kreisen gab man sich noch immer Illusionen hin.

18 *Nach der Macht-übernahme der Nationalsozialisten in der Stadt am 9. März 1933 und der Verdrängung des demokratischen Oberbürgermeisters wurde programm-gemäß der Buch-druckereibesitzer Willy Liebel (1897–1945), seit 1930 Führer der Stadt-ratsfraktion der NSDAP, neues Stadtoberhaupt. Er amtierte vergleichs-weise gemäßigt und behielt viele Füh-rungskräfte der frü-heren Stadtverwal-tung. (Beim End-kampf 1945 nahm er sich das Leben).*

19 *Zur ersten Sitzung des neugebildeten Stadtrats im historischen Rathaussaal am 27. April 1933 waren alle NS-Stadträte in Uniform erschienen. SA bildete eine «Ehrenwache». Trotz massiver Drohungen des Gauleiters Streicher (in der Mitte der ersten Reihe) stimmten die Stadträte der SPD geschlossen gegen die Wahl Liebels zum neuen Oberbürgermeister. Wenige Wochen später saßen sie im Konzentrationslager Dachau.*

«Am Tage nach der Flaggenhissung wurde die Situation vielfach noch nicht so ernst angesehen als sie in Wirklichkeit war», erinnerte sich der seinerzeitige 2. Bürgermeister Martin Treu später. «Man vertrat die Meinung, daß die Sache noch nicht so ganz schlimm sei. Man habe 1918 mehrere Wochen unter der roten Fahne gearbeitet; nun werde man eben einige Wochen unter der Hakenkreuzfahne arbeiten, bis der Spuk vorbei ist.»[6]

Aber der «Spuk» ging jetzt erst richtig los.

In der folgenden Nacht besetzten bewaffnete Nationalsozialisten die Gebäude der SPD-Zeitung und der Metallarbeitergewerkschaft und demolierten die Einrichtung. Die SA begann mit Hausdurchsuchungen, Verhaftungen und Mißhandlungen von Anhängern der politischen Linken. Die demokratisch gewählten Bürgermeister Luppe und Treu wurden, wie es der Vorsitzende der NS-Stadtratsfraktion, der Buchdruckereibesitzer Willy Liebel formulierte, «im Verlauf der nationalen Revolution gezwungen, auf eine weitere Amtsführung freiwillig zu verzichten»[7] und er selbst zum kommissarischen Oberbürgermeister bestellt. Streicher blieb ohne staatliches oder städtisches Amt; der Widerstand von hochgestellten Nationalsozialisten außerhalb Frankens gegen ihn war zu groß. Aber ohne oder gar gegen Streicher konnte in Nürnberg und Franken fortan nichts Wesentliches mehr geschehen. Dr. Luppe wurde für mehrere Wochen in «Schutzhaft» genommen und schließlich zwangspensioniert.

20 *Obwohl Streicher nach der Machtübernahme weder ein staatliches noch ein städtisches Amt innehatte, konnte zwischen 1933 und 1939 in Nürnberg und Franken ohne oder gar gegen ihn nichts Wesentliches geschehen. Seit 1937 residierten er und sein zwielichtiger Anhang im «Gauhaus» am Marienplatz. Das Grundstück, auf dem vorher die Villa eines jüdischen Hopfenhändlers gestanden hatte, war ein Geschenk der Stadt an die Partei.*

21 Ob Institutionen und Organisationen eine politische Rolle spielten oder nicht: keine entging ihrer «Gleichschaltung», der Anpassung an das neue Regime nach Geist und Form. Zunächst war an die Spitze ein strammer Nationalsozialist zu wählen, der dann gemäß dem «Führerprinzip» Männer seines Vertrauens in die anderen Führungspositionen zu berufen hatte.

Ausgewechselt wurde, als einer der wichtigsten Posten überhaupt, auch die Führung der Polizei. Zwar hatte der bisherige Polizeichef Gareis den Nationalsozialisten durch seine entgegenkommende Amtsführung gute Dienste erwiesen, aber erklärter Nationalsozialist war er nicht. Die neuen Machthaber hatten mit den beiden ersten Präsidenten aus ihren eigenen Reihen wenig Glück. Zunächst übernahm im April 1933 ein nationalsozialistischer Renommier-Adeliger, der SS-Führer und Gutsbesitzer Freiherr von Malsen-Ponickau, die Leitung der Nürnberger Polizei. Ohne jede Befähigung für sein Amt, war sein größter Fehler, daß er sich gegen Streicher und dessen proletenhaften Anhang stellte. Es kam, wie es kommen mußte. In aller Öffentlichkeit – sogar im Beisein Hitlers – titulierte Streicher den Polizei-Baron als «feigen Hund» und «degenerierten Schweinehund».[8] Nach diesem unerhörten Vorfall – er war einer unter anderen – mußte nicht Streicher gehen, sondern der Freiherr von Malsen-Ponickau. Nachfolger im Amt war der SA-Gruppenführer Hanns Günther von Obernitz, der am 1. September 1933 zum (kommissarischen) Polizeipräsidenten von Nürnberg–Fürth ernannt wurde. Mit ihm, einem «Landsknechttyp» reinster Prägung, hatte man den Bock zum Gärtner gemacht. Überliefert ist sein auftrumpfendes Bekenntnis: «Ein Gesetz und Gesetzbücher gibt es für mich nicht. In meiner ganzen Polizeidirektion existiert kein Gesetzbuch».[9] Seine Amtsführung war dementsprechend. Schließlich war er so untragbar geworden, daß er am 5. Juli 1934 abgelöst wurde. Bei Maßnahmen gegen Juden konnte er als oberster Nürnberger SA-Führer sich auch später noch durch besondere Aktivität und Rücksichtslosigkeit hervortun. Der Nachfol-

Verein der Südöstl. Vorstädte Nürnberg

Anschrift: Julius Steiger, Nürnberg-O, Allersberger Str. 60, Tel. 40460

Am 15. September abends 8.30 Uhr findet in der Gaststätte „Drei Mohren" Allersberger Straße eine

Außerordentliche Mitgliederversammlung

mit der Tagesordnung

Gleichschaltung

statt.

Wir bitten in Anbetracht der Wichtigkeit der Tagesordnung um zahlreichen Besuch. Besonders aber ersuchen wir die Herren Mitglieder, welche der NSDAP. angehören an dieser Sitzung teilzunehmen.

Die Vorstandschaft.

22 Das Planetarium, 1927 an der Ringstraße am Wöhrder Tor errichtet, galt den Nationalsozialisten als besonderes Symbol der verhaßten Ära Luppe. Auf ausdrücklichen Wunsch Streichers beschloß der Nürnberger Stadtrat im Jahr 1934 den Abbruch.

ger dieser beiden kuriosen Polizeipräsidenten war aus anderem Holz; er war ein Meister der Anpassung und Diplomatie. Doch davon später.

Frühjahr und Sommer 1933 standen im Zeichen der «Gleichschaltung», der ideologischen und förmlichen Anpassung aller Institutionen und Organisationen an die «nationale Revolution» und das neue Regime. «Gleichgeschaltet» wurde von oben und von unten her, teils staatlich verordnet, teils freiwillig geleistet.

Die politische Vertretung der Bürgerschaft, der Stadtrat, wurde gemäß einem von der neuen Reichsregierung erlassenen Gesetz nicht neu gewählt, sondern in seiner Zusammensetzung – unter Wegfall der kommunistischen Mandate – an das Ergebnis der Reichstagswahl vom 5. März 1933 angepaßt. Die NSDAP erhielt 21, die SPD 16, die Bay. Volkspartei 4 und die «Kampffront Schwarz-Weiß-Rot» 3 Sitze. Wie nicht anders zu erwarten war: der neugebildete Stadtrat wählte in seiner ersten Sitzung am 27. April Liebel zum Oberbürgermeister, den schon unter Dr. Luppe amtierenden Finanz-Referenten Dr. Eickemeyer, der sich inzwischen der NSDAP genähert hatte und ihr wenig später beitrat, zum Zweiten Bürgermeister und den ebenfalls nationalsozialistischen Justizrat Dr. Kühn zum Dritten Bürgermeister. Trotz massiver Drohungen des anwesenden Gauleiters Streicher stimmten die SPD-Stadträte gegen die Wahl Liebels und Kühns. In ihrer zahlenmäßig noch immer starken Fraktion machte sich aber angesichts der sie umgebenden haßerfüllten Atmosphäre, der ständigen Anpöbeleien, Drohungen und Arbeitsbehinderungen zunehmend Resignation und Hilflosigkeit breit. Am 10. Juni 1933 teilten die SPD-Stadträte mit, daß sie bis auf weiteres auf die Ausübung ihrer Mandate verzichteten (kurz darauf, nach dem offiziellen Verbot der SPD im ganzen Reich, schlossen sich hinter allen Stadträten der SPD-Fraktion die Tore des Konzentrationslagers Dachau). Die Stadträte derjenigen Parteien, die sich in der «nationalen Erhebung» mit den Nationalsozialisten verbündet oder sie zumindest toleriert hatten und die nun unter zunehmendem Druck gerieten, ließen sich «gleichschalten»: entweder traten sie von sich aus der NSDAP bei oder sie legten ihre Mandate nieder. Seit Juli 1933 waren die Nationalsozialisten im Stadtrat unter sich allein. Erreicht war, wie Oberbürgermeister Liebel

frohlockte, «was wir seit Anfang unserer Arbeit hier gewollt haben».[10] Von den elf berufsmäßigen Stadträten, die neben den Bürgermeistern die Verwaltungsspitze bildeten, wurden nur die drei der SPD angehörenden Referenten abgelöst, die anderen blieben als anerkannte Fachleute im Amt.

Das am 7. April von der Reichsregierung erlassene «Gesetz zur Wiederherstellung des Berufsbeamtentums» diente dazu, aus dem öffentlichen Dienst mißliebig gewordene Mitarbeiter zu entfernen. Zahlreiche Überprüfungsberichte sind erhalten. Da gab es z. B. den Fall des kleinen Beamten A. B.: 57 Jahre alt, 25 Jahre Dienstzeit bei Militär und Stadtverwaltung, einwandfrei in Leistungen und Pflichterfüllung, Frontsoldat 1914–1918, mit mehreren Kriegsauszeichnungen, darunter dem Eisernen Kreuz II. Klasse – aber seit 1910 Mitglied der SPD und von 1926 bis 1932 Mitglied des «Reichsbanners». Zusammenfassendes Gutachten der Stadtverwaltung:

«Mit Rücksicht auf diese langjährige bis zur nationalsozialistischen Revolution aufrechterhaltene Mitgliedschaft bei marxistischen Organisationen und auf die damit verbundene Unterstützung marxistischer Kampfverbände bietet A. B. trotz seiner einwandfreien dienstlichen Qualifikation keine Gewähr dafür, daß er jederzeit rückhaltlos für den nationalen Staat eintreten wird.» Also Antrag: «Entlassung wegen nationaler Unzuverlässigkeit.»[11]

Auf diese Weise wurden 238 «national unzuverlässige» oder «nichtarische», d. h. jüdische Mitarbeiter entlassen. Bei Neueinstellungen wurden 315 «Altkämpfer der nationalsozialistischen Bewegung bevorzugt berücksichtigt».[12]

Die neue Verwaltungsspitze sorgte gut für ihre Parteifreunde: schließlich waren unter den 8285 städtischen Bediensteten 115 «Träger des Goldenen Parteiabzeichens», 703 Alt-Parteigenossen und 1497 Parteigenossen, die erst nach der Machtergreifung in die NSDAP eingetreten waren (Stand 1937/38).[14]

23 Nach dem März 1933 gab es laufend Aufrufe in Zeitungen und Rundfunk «Fahnen heraus!» und Anlässe, die nach der Machtübernahme erworbenen Fahnen hinauszuhängen. Die Hakenkreuzfahne, die Parteifahne der NSDAP, war seit 1935 alleinige Reichs- und Nationalflagge.
Im Bild: die vom Albrecht-Dürer-Platz zum Tiergärtnertor führende Bergstraße im Fahnenschmuck anläßlich eines der in jenen Jahren zahlreichen «nationalen» Ereignisse.

24 Der «Christkindlesmarkt», seit Jahrhunderten in Nürnberg heimisch, kehrte 1933 auf Anordnung des neuen Oberbürgermeisters nach vierzig Jahren erstmals wieder auf den historischen Hauptmarkt zurück. Solche Bemühungen um alte Traditionen gefielen den heimatbewußten Nürnbergern und sicherten der NS-Verwaltungsspitze auch manche nicht politisch gemeinte Zustimmung.

Von einer «Gleichschaltung» blieb selbstverständlich auch der Kulturbereich nicht verschont. Das
bekam als erste Einrichtung die städtische Volks-
hochschule zu spüren, die in der vorangegangenen
Zeit von der politischen Rechten und besonders
von den Nationalsozialisten immer wieder als
(linke) «Parteihochschule» und als «Judensaustall»
attackiert worden war. Gleich im März 1933 wurde
sie aufgelöst. Am Abend des 10. Mai 1933 fand auf
dem Hauptmarkt eine große Kundgebung statt, in
deren Mittelpunkt ein riesiger Scheiterhaufen
stand: verbrannt wurden «jüdisch-marxistische,
volkszersetzende und undeutsche» Bücher aus den
städtischen Bibliotheken. Ziel dieser Bücherver-
brennung: «die Wiedererneuerung des lauteren
deutschen Geistes».[15] Eine ähnliche «Reinigung»
betraf die städtischen Kunstsammlungen. Ihr
neuer Direktor zeigte die Werke moderner Kunst,
soweit sie nicht mit dem «gesunden Volksempfin-
den» übereinstimmten, in einer Sonderausstellung
als «Nürnberger Schreckenskammer» und ließ sie
dann im Magazin verschwinden. Später wurden
über 130 Gemälde und Graphiken, darunter viele
bekannter und bedeutender Künstler – alles An-
käufe der zwanziger Jahre – beschlagnahmt; sie
sind während des Krieges in einem Berliner Bun-
ker verbrannt[16]. Auf Betreiben Streichers wurde
1934 das erst wenige Jahre zuvor errichtete Planetarium, das als besonderes Symbol der verhaßten
Ära Luppe galt, abgebrochen. Geringer waren die
Eingriffe des Regimes und dementsprechend die
notwendigen Konzessionen der Verantwortlichen
im Theater- und Musikleben. Was als «deutsche
Kunst», als «volksnahe Kunst» galt, blieb unge-
stört und konnte sich tatkräftiger Förderung durch
Stadtrat und -verwaltung erfreuen.
Auch außerhalb des staatlich-städtischen Bereichs
funktionierte die «Gleichschaltung» erstaunlich

25/26 *Das NS-Stadtregime bemühte sich nach Kräften,
das historische Erscheinungsbild dieser «deutschesten
aller deutschen Städte» aufzupolieren. An der Stadt-
mauer, der Kaiserburg und zahlreichen Gebäuden der
Altstadt fanden Instandsetzungs- und Verschönerungs-
arbeiten statt. Man erwog sogar, die Altstadt in ihrer Ge-
samtheit unter Denkmalsschutz zu stellen.*
Im Bild: Hallertor vor und nach der Sanierung 1937.

27

27 *Neben Erneuerungsarbeiten an zahlreichen histori-*
schen Bauwerken gab es zwischen 1933 und 1939 auch eine
rege Neubau- und Umbautätigkeit der öffentlichen Hand.
Im Bild: die im Zuge des Ausbaus der Ringstraße neuge-
staltete Hallertorbrücke (seinerzeit in «Wilhelm-Gustloff-
Brücke» umbenannt).

schnell. In Verbänden, Vereinen, Organisationen aller Art ergriffen entweder «national gesinnte» Mitglieder die Initiative zur Bildung eines neuen Vorstands oder die bisherigen Führungskräfte traten resignierend von sich aus zurück. An die Spitze gewählt wurde ein neuer Mann, in jedem Fall ein strammer Nationalsozialist, der dann gemäß dem «Führerprinzip» Männer seines Vertrauens in die anderen Führungspositionen berief. Schon Ende März 1933 standen an der Spitze der Handwerks- und der Industrie- und Handelskammer Parteifunktionäre der NSDAP. Den Gewerkschaften nützte ihr Stillhalten während der letzten Wochen nichts: kaum war der umfunktionierte Erste Mai, nunmehr «Tag der nationalen Arbeit» genannt, abgefeiert und vorbei, wurden das Gewerkschaftshaus besetzt und die Geschäftsführer der Gewerkschaften in «Schutzhaft» genommen. Im Frühjahr und Sommer gab es im Lokalteil der Nürnberger Zeitungen häufig Überschriften wie «Gleichschaltung beim Gartenbauverein» – «Gleichschaltung auch in den Fleischerorganisationen» – «Schuhmacher-Innung gründlich gleichgeschaltet».[17]
Der Anpassung an Geist und Ziele des neuen Re-

gimes widmete sich besonders eifrig eine seit dem 1. Juni 1933 neu erscheinende nationalsozialistische Zeitung. Diese von Streicher gegründete «Fränkische Tageszeitung» bezog in äußerst rüder Form Stellung nicht nur gegen politische Gegner und Juden, sondern auch gegen «Deutschnationale» und alle, die noch nicht vorbehaltlos sich in die NS-Front eingereiht hatten. Wer auf die nunmehr häufigen Aufrufe «Fahnen heraus!» zur Feier eines nationalsozialistischen Ereignisses nicht gebührend reagierte, wer den Gruß «Heil Hitler» mit «Guten Morgen» erwiderte, wer weiterhin in jüdischen Geschäften kaufte, dem konnte passieren, daß er in der Zeitung mit Namen und Anschrift genannt wurde – mit entsprechend drohenden Kommentaren: solche Zeitgenossen hätten die «neue Zeit» noch nicht begriffen, man werde sie sich merken müssen. Zunächst in bescheidener Anfangsauflage erscheinend, überflügelte die «Fränkische Tageszeitung» durch aggressive Werbung nach dem Motto: wer sie liest, beweist seine «richtige» Gesinnung, bald ihre bürgerliche Zeitungskonkurrenz.

Schon in den ersten Wochen und Monaten der «nationalen Erhebung» veränderten sich auch der Rahmen des öffentlichen Lebens und der Alltag der Bevölkerung, soweit er sich in der Öffentlichkeit abspielte. Sinnfälligster Ausdruck der Machtübernahme am 9. März 1933 war das Hissen von Hakenkreuz- und Schwarz-Weiß-Rot-Fahnen auf prominenten öffentlichen Gebäuden der Stadt. (Schwarz-Weiß-Rot, die Farben des wilhelminischen Kaiserreichs und nach 1918 der Gegner der Republik, waren nach der Machtübernahme – neben der Hakenkreuzfahne, der Parteifahne der NSDAP – Reichsflagge geworden. Ab 1935 war die Hakenkreuzfahne alleinige Reichs- und Nationalflagge.) In den folgenden Wochen, Monaten, Jahren bestimmten Fahnen das Erscheinungsbild der Stadt in vorher nicht gekanntem Ausmaß. Nach der Flaggenhissung am 9. März tauchten – zum Zeichen der Übereinstimmung mit der «nationalen Erhebung» oder aus Opportunismus – immer mehr Fahnen an Behörden, Schulen, Betrieben, Geschäften, Privathäusern auf. Firmen, die Fahnen und Fahnenstoffe herstellten, hatten Hochkonjunktur und legten Überstunden ein bis spät in die Nacht. Ständig gab es Anlässe, die neuerworbenen Fahnen hinauszuhängen, und entsprechende Aufrufe «Fahnen heraus!» in Zeitungen und Rundfunk: zum Geburtstag des neuen Reichskanzlers am 20. April, zum Ersten Mai, zum Jahrestag der Unterzeichnung des Versailler Vertrags am 28. Juni (für diesen Tag war Halbmastbeflaggung angeordnet), zum Treffen der fränkischen «Hitlerjugend» im Juli, zum Erntedankfest am 1. Oktober, zur «Reichshandwerkswoche» vom 14. bis 21. Oktober, zur sog. «Reichstagswahl» am 12. November – so ging das fort und fort. Manchen Zeitgenossen genügte das Heraushängen kleiner und großer Fahnen noch nicht: sie schmückten, wenn «nationale» Anlässe dies nahelegten, ihre Häuser zusätzlich mit Girlanden, Tannengrün, Wandteppichen und dergleichen mehr. Fahnen waren viel mehr als bloßer Schmuck. Bei allen öffentlichen Veranstaltungen spielten sie eine herausragende Rolle. Kein Aufmarsch, keine Kundgebung, keine Feier, bei denen nicht zahlreiche und immer zahlreicher werdende Fahnen und Standarten mitwirkten. In einer Marschkolonne mitgeführte Fahnen waren von Passanten und Zuschauern am Straßenrand zu grüßen – mit dem «Deutschen Gruß», d. h. durch Erheben des ausgestreckten rechten Armes.

Die Schaulust der breiten Massen erhielt Nahrung wie nie zuvor. Es verging kaum ein Monat, ohne daß ein politisches Ereignis, ein Jahrestag, ein traditionelles Fest im Stil des neuen Regimes mittels einer geschickten Regie begangen wurde. Aufmärsche und Vorbeimärsche, mit schmetternder Marschmusik und dumpfem oder fröhlichem Trommelwirbel, mit zahllosen Fahnen und Standarten und Wimpeln – gemeinsamer Gesang der beiden Nationalhymnen (des alten «Deutschlandliedes» und des Parteiliedes «Die Fahne hoch») – Uniformträger in Braun und Schwarz mit leuchtendroten Hakenkreuz-Armbinden und einer verschwenderischen Fülle von gold- und silberfarbigen Rangabzeichen. Stets waren diese öffentlichen Schau-Spiele mit politischer Werbung verbunden für den neuen «nationalen» Staat, für die NSDAP als «Verkörperung des Volkswillens», für die Idee der Volksgemeinschaft, für den Gedanken der Gefolgschaft und des unbedingten Gehorsams gegenüber dem «Führer». Stets liefen diese Veranstaltungen mit militärischer Disziplin und Präzision ab, wodurch viele Zeitgenossen für sie eingenommen wurden, unabhängig von Ziel und Inhalt der Veranstaltung. Bevorzugter Ort für die Großveranstaltungen war der traditionsreiche Hauptmarkt, umstanden von der

28 *Ebenso wie die umfangreichen öffentlichen Aufträge belebte auch der gemeinnützige und private Wohnungsbau den Arbeitsmarkt. Ab 1938 machte sich allerdings, «veranlaßt durch die außerordentlichen Wehrmaßnahmen», d. h. die stürmische Aufrüstung, eine immer stärkere Verknappung von Baumaterialien bemerkbar. Im Bild: Hauszeichen in der Siedlung Hasenbuck.*

prachtvollen Schaufassade der gotischen Frauenkirche, dem ältesten Teil des reichsstädtischen Rathauses und schönen alten Bürgerhäusern. Schon im März 1933 benannte die neue Stadtverwaltung den Hauptmarkt in «Adolf-Hitler-Platz» um.

Unter ihren Maßnahmen gleich in den ersten Monaten waren auch einige, die der Zustimmung nicht nur von NS-Anhängern, sondern auch von abwartenden oder ablehnenden Bürgern sicher sein konnten. Als publikumswirksame Geste ließ der neue nationalsozialistische Oberbürgermeister in allen Dienstzimmern der Stadtverwaltung den alten Spruch, der den ehrwürdigen großen Rathaussaal zierte, in deutscher Übersetzung anbringen: «Des Volkes Wohl das oberste Gesetz» (daß zur gleichen Zeit viele Angehörige eben dieses Volkes verhöhnt, verfolgt, eingesperrt, ausgestoßen wurden, übersahen freilich die meisten!). Beschlossen wurde, den historischen Christkindlesmarkt nach vier Jahrzehnten erstmals wieder auf dem stimmungsvollen Hauptmarkt abzuhalten und alte Nürnberger Faschingsbräuche in Form öffentlicher Darbietungen wiederaufleben zu lassen. Das gefiel den heimatbewußten Nürnbergern ebenso wie denkmalpflegerische Bemühungen um die Altstadt. Allen voran Oberbürgermeister Liebel ließ keine Gelegenheit ungenutzt, den besonderen Charakter dieser «deutschesten aller deutschen Städte» zu preisen und das neue Stadt-Regime als Förderer ihres historischen Erscheinungsbildes herauszustellen.

Am meisten profitierte aber das Ansehen des NS-Stadtregiments von den Bemühungen und Erfolgen beim Kampf gegen die Massenarbeitslosigkeit der Zeit. Zum jahreszeitlich bedingten Aufschwung im Frühjahr und Sommer kamen die ersten Auswirkungen umfangreicher Arbeitsbeschaffungsprogramme der öffentlichen Hand hinzu. Zu solchen Maßnahmen, durch die viele Erwerbslose wieder Arbeit fanden, gehörten neben den Instandsetzungsarbeiten in der Altstadt Vorhaben im Straßen-, Brücken- und Wasserbau, der Ausbau des neuen Flughafens Marienberg, Elektrifizierungsarbeiten der Reichsbahn, der beginnende Ausbau des Reichsparteitagsgeländes, ein reger Siedlungsbau. Nicht alles war Gold, was zunächst zu glänzen schien und was viele Zeitgenossen blendete: so umfaßte der vielgepriesene Siedlungsbau, wie die Stadtverwaltung selbst einräumte, auch Not- und Behelfswohnungen[18]. Und zum 1. Oktober 1933 mußten die Richtsätze für Wohlfahrtsunterstützungen herabgesetzt werden – mit der amtlichen Begründung des Stadtrats: «um nicht in eine schwere Finanzkatastrophe hineinzuschlittern».[19] Immerhin: waren es im Januar 1933 noch 58000 in Nürnberg zu betreuende Arbeitslose gewesen, so sank diese Zahl bereits im Jahr 1934 auf 36000 Arbeitslose. Auch hier sahen die meisten Zeitgenossen nur die Fassade: übersehen wurde, daß die Talsohle der wirtschaftlichen Gesamtentwicklung schon im Frühjahr 1932, also noch vor der nationalsozialistischen Machtübernahme, überwunden war. Selbst der von der NS-Stadtverwaltung für diesen Zeitraum herausgegebene Verwaltungsbericht konnte nicht verheimlichen, daß bereits ab April 1932 «eine fast durchgehend anhaltende leichte Besserung der Gesamtlage» zu erkennen gewesen sei.[20]

29 *Mit der Ernennung von Dr. Benno Martin (1893–1975) zum Polizeipräsidenten betrat die interessanteste und schillerndste Figur innerhalb der NS-Führungsschicht Nürnbergs die politische Bühne. Als typischer «Techniker der Macht» verstand er es, die Nürnberger Polizei weitgehend frei vom Einfluß der Partei zu halten. Zunächst Günstling Streichers, war er später maßgeblich an dessen Entmachtung beteiligt.*

30 *Für das evangelische Nürnberg, seit den Tagen der Reformation eine Hochburg des Protestantismus, war die Amtseinsetzung des neuen Landesbischofs Meiser am 11. Juni 1933 ein großer Tag. Das dabei zur Schau gestellte Einvernehmen zwischen Partei und Kirche war zu diesem Zeitpunkt keine bloße Fassade.*
Im Bild: der Festzug auf dem Weg von der St. Lorenzkirche zum anschließenden Staatsakt im Rathaus (in der 2. Reihe Mitte: Meiser, in der 3. Reihe: der neue bay. NS-Ministerpräsident Siebert zwischen – in Parteiuniformen – Staatsminister Esser und Kultusminister Schemm).

Fränkische Tageszeitung

Extra=Blatt

Fort mit Landesbischof D. Meiser!

Er ist treulos und wortbrüchig – Er handelt volksverräterisch – Er bringt die evangelische Kirche in Verruf

31 *Mit einem großaufgemachten Angriff in der partei-amtlichen Presse Nürnbergs im Herbst 1934 erreichte der «Kirchenkampf» – der Streit zwischen den bekenntnis-treuen Kräften der Bayerischen Landeskirche und den «Deutschen Christen» und die Abwehr der Eingriffe von Staat und Partei – einen ersten Höhepunkt.*

Im Herbst 1933 hatten die Nationalsozialisten die Macht sicher und unumschränkt in Händen. Ihre deutschnationalen und konservativen Bundesge-nossen, die ihnen die Machtübernahme ermöglicht hatten, waren verdrängt, deren Organisationen aufgelöst. Dennoch veranstaltete das NS-Regime zu seiner Legitimation vor dem deutschen Volk und vor allem auch vor dem Ausland am 12. No-vember 1933 eine neuerliche Reichstags«wahl», verbunden mit einer Volksabstimmung über den Austritt Deutschlands aus dem Völkerbund. Mit gewaltigem Aufwand wurde ein merkwürdiger «Wahlkampf» inszeniert: nur eine einzige Partei warb um die Wählergunst. Fast täglich fanden Kundgebungen statt – «Großkundgebungen», «Riesenkundgebungen», «Massenkundgebun-gen». Fast täglich veranstalteten NS-Organisationen Aufmärsche mit klingendem Spiel und unge-zählten Fahnen, fast täglich gab es Betriebsver-sammlungen. An Häusern und über Straßen waren Spruchbänder gespannt mit Aufschriften wie «Mit Hitler für einen Frieden der Ehre und der Gleich-berechtigung» oder «Wer kein Landesverrä-

ter ist, stimmt mit Ja!» Die Nürnberger Straßen-bahnen und Autobusse trugen an den Seiten riesige Schilder – häufig mit der Aufschrift «Vater! Mut-ter! denkt an eure Kinder! Stimmt mit Ja!». Die Hitler-Rede, die am 10. November 1933 den Wahl-kampf abschloß, wurde auf den großen Plätzen übertragen: alle «Volksgenossen», auch diejenigen ohne eigenen Rundfunkempfänger zu Hause, soll-ten den «Volkskanzler», wie Hitler zu dieser Zeit gern genannt wurde, hören können. Der Wahl-sonntag brachte in Nürnberg wie im ganzen Reich keine Überraschung: die NSDAP errang 92,4% der gültigen Stimmen. Bei der Reichstagswahl am 5. März 1933 waren für SPD und KPD zusammen noch 114753 Stimmen abgegeben worden. Dieses Ablehnungspotential war nunmehr auf 22521 un-gültige Stimmen zusammengeschrumpft (eine un-gültige Stimme abzugeben war bei dieser «Wahl» die einzige Möglichkeit, eine ablehnende Haltung auszudrücken). Das Wahlergebnis vom 12. No-vember 1933 kann man, wie die Ergebnisse ähnli-cher plebiszitärer Veranstaltungen in den folgen-den Jahren, nicht einfach als Ergebnis von Druck oder gar Terror abtun.

«Die Stimmung der Bevölkerung in Franken kann, soweit wirtschaftliche Fragen in Be-tracht kommen, als zunehmend zuversicht-lich und hoffnungsfreudig bezeichnet wer-den. Die Erfolge und Leistungen der natio-nalsozialistischen Regierung werden rück-haltlos auch von den Gegnern anerkannt.»

Aus einem geheimen Lagebericht der Nürn-berger Polizei vom 18. Dezember 1933 [21]

Angesichts der wirtschaftlichen Anstrengungen und Erfolge der neuen Regierung schmolz die Im-munität der Arbeiterschaft gegenüber dem Natio-nalsozialismus, bis zum Ende der Weimarer Repu-blik ungebrochen wirksam, rasch dahin.
Am 12. Mai 1934 empfing Nürnberg mit allen Eh-ren einen hohen Gast, der sieben Wochen später in jeder Hinsicht ein toter Mann war – sogar sein Bild hatte aus Zimmern und Büchern zu verschwinden. Anläßlich eines großen Treffens der mittelfränki-

schen SA kam Ernst Röhm, ihr Stabschef, in die Stadt. Wenig später ließ Hitler, angeblich einem Putschversuch der SA zuvorkommend, seinen Intimus Röhm und zahlreiche hohe SA-Führer ohne Gerichtsverfahren erschießen. Die Pläne der obersten SA-Führung zu einer weitergehenden sozialen Umgestaltung Deutschlands und die Rivalitäten zwischen SA und Reichswehr um die militärische Vorrangstellung im neuen Reich paßten nicht in Hitlers Konzept. Streicher richtete unverzüglich danach ein Ergebenheitstelegramm an ihn, in dem es hieß: «In meinem Gau ist alles wie es sein muß. Das Volk freut sich über die erlösende Tat. Jetzt gehen wir in eine glückliche Zukunft hinein».[22] Röhms Mann in Nürnberg, der SA-Führer und Polizeipräsident von Obernitz, entkam der Mordaktion dank Streichers Intervention, mußte aber den Sessel des Polizeichefs räumen.

Und nun betrat ein Mann die politische Bühne, der die wohl interessanteste und schillerndste Figur innerhalb der NS-Führungsschicht Nürnbergs und Frankens war. Er veränderte die Machtverhältnisse entscheidend und ihm gelang es schließlich sogar, dem allmächtigen Gauleiter und Hitlers Duzfreund Streicher das Genick zu brechen. Fast zwei Meter groß und schlank, mit schmalem Kopf und gutgeschnittenen Zügen, war Dr. Benno Martin eine nicht zu übersehende «arisch» wirkende Erscheinung, die sich von den geistig und körperlich meist mittelmäßigen Parteibonzen auffallend abhob. Der hochintelligente Jurist und exzellente Polizeifachmann war seit 1923 in der Polizeidirektion Nürnberg–Fürth tätig und erwarb sich schon in den zwanziger Jahren das Vertrauen und Wohlwollen Streichers, der Martins Ernennung zum Polizeipräsidenten am 1. Oktober 1934 förderte. Seinen engen Beziehungen zum Gauleiter und seinem opportunistisch-geschickten Taktieren war es zuzuschreiben, daß ausgerechnet in der «Stadt der Reichsparteitage» die Polizei frei vom Einfluß der Partei blieb und ein Stück Rechtlichkeit gewährleisten konnte. Immer erfolgreich bestrebt, sich nach allen Seiten abzusichern, umgab er sich mit leitenden Mitarbeitern, die ihm als Gegner des NS-Regimes bekannt waren. Von seiner maßvollen Amtsführung profitierte zunächst die Evangelische Kirche im sogenannten «Kirchenkampf», der in Nürnberg einen Höhepunkt hatte.

32 *Der Nürnberger Stadtteil Eibach spielte im Kirchenkampf eine herausgehobene Rolle. Die dortige Kirche St. Johannes der Täufer wurde zur «Traditionskirche» der «Deutschen Christen». Die Auseinandersetzungen spitzten sich derart zu, daß SA und DC einen regelrechten «Kirchenschutz» organisierten. Erst 1940 und nur mit Hilfe der Gerichte und der Polizei kam die Bay. Landeskirche wieder in den Besitz von Kirche und Pfarrhaus in Eibach.*

33 *Trotz unverkennbarer wirtschaftlicher Erfolge gab es in den minderbemittelten Schichten noch jahrelang Not und Entbehrung. Das alljährlich mit großem propagandistischen Aufwand durchgeführte «Winterhilfswerk des deutschen Volkes» war ein ständiger, nicht ohne mannigfachen Druck auskommender Appell an die Spende- und Opferbereitschaft der Bevölkerung.*
Im Bild: SS-Männer bei einer WHW-Straßensammlung an der St. Lorenzkirche im Herbst 1936.

Als die Nationalsozialisten die Macht in der Stadt ergriffen, bekannten sich von den über 415 000 Einwohnern 62,7 % zum evang.-lutherischen Glauben. Nürnberg war seit den Tagen der Reformation eine Hochburg des Protestantismus. An der Spitze der Bayerischen Landeskirche stand seit Frühjahr 1933 der aus Nürnberg stammende Theologe D. Hans Meiser. Das bei seiner Amtseinsetzung am 11. Juni 1933 zur Schau gestellte Einvernehmen zwischen dem neuen Regime und der Landeskirche war zu diesem Zeitpunkt keine bloße Fassade. Wenige Wochen zuvor hatte der Landeskirchenrat unter Führung Meisers in einer Botschaft dem neuen Staat versichert, er könne «nicht nur des Beifalls, sondern auch der freudigen und tätigen Mitarbeit der Kirche sicher sein»[23], und gleichsam zur äußeren Bekräftigung angeordnet, alle kirchli-

chen Gebäude zu Ehren von Hitlers Geburtstag zu beflaggen.
Am 17. Juli 1933 erlebte Nürnbergs Hauptmarkt, der nunmehrige Adolf-Hitler-Platz, wieder einmal eine der zahlreichen Großkundgebungen jener Zeit, mit vielen Fahnen und braunen und schwarzen Uniformen und anfeuernden Reden – aber diesmal wehten neben den Fahnen des NS-Regimes auch Kirchenfahnen, spielte eine SA-Kapelle neben Musik der «nationalen Erhebung» auch den alten Luther-Choral «Ein feste Burg». Die «Deutschen Christen» hatten ihren ersten großen Auftritt in Nürnberg. Diese 1932 gegründete Glaubens- und Kirchenbewegung strebte eine zentralistische Reichskirche auf der Grundlage von arischer Rasse und deutschem Volkstum an. Ihr Ziel war die weltanschauliche Verbindung von

Christentum und Nationalsozialismus. Ein dreifaches «Sieg-Heil» und die Parteihymne der NSDAP beschlossen dieses religiöse Schauspiel. Nürnberg, die Hochburg des Protestantismus, war auf dem besten Weg, auch zur Hochburg der «Deutschen Christen» zu werden. Am darauffolgenden Sonntag fanden die von der neuen Regierung dringend verlangten Neuwahlen zu allen kirchlichen Körperschaften statt: rund 70 % der dabei in Nürnberg gewählten Kirchenvorstandsmitglieder gehörten der NSDAP oder einer ihrer Gliederungen an. Der Evang. Presseverband für Bayern teilte erläuternd mit: «Da eine sehr große Zahl treuer Kirchenglieder der NSDAP angehören, ergab sich von selbst eine zahlreiche Zugehörigkeit der Kirchenvorsteher zur NSDAP».[24] Zeichen der Harmonie zwischen NS-Regierung und Evang. Kirche gab es 1933/34 viele. Um so größeres Aufsehen mußte

34 *Zum Repertoire der WHW-Veranstaltungen gehörten auch «Eintopfsonntage». Am 11. Dezember 1938 fand auf der Insel Schütt ein öffentliches Eintopfessen statt. Die Essenskarte kostete 1 RM. Am Prominententisch saß neben dem allgegenwärtigen Gauleiter Streicher der ital. Minister Lantini, der anläßlich eines kurzen Nürnberg-Besuchs an dem Spektakel teilnahm.*

35 *Schier unerschöpflich waren die Nationalsozialisten im Erfinden von Anlässen für Feste und Feiern in publikumswirksamen Formen. Der Schaulust der breiten Masse wurde häufig etwas geboten, so im November 1937 die öffentliche Ehrung von Pferden, die am Weltkrieg teilgenommen hatten, durch eine Hafer-Spende und umgehängte Tafeln mit der Aufschrift «Kriegskamerad».*

Der wohlverdiente Ehren-Hafer ...
Die in Nürnberg lebenden Kriegspferde wurden geehrt

Der Hans-Sachs-Platz war am Mittwoch vormittag der Schauplatz einer denkwürdigen Ehrung, wie sie Nürnberg wohl noch keine erlebte. Es wurden hier am Deutschen Tierschutztag, der heuer zum vierten Male stattfand, die noch in Nürnberg lebenden

daten des Artillerie-Regiments 17 von ihren Ställen abgeholt und mit einem roten Seidenband um den Hals in feierlichem Zug nach Hans-Sachs-Platz geführt, wo bei ihrem Eintreffen bereits eine große Menschenmenge auf sie wartete. Auf einer kleinen

während die Trompeter bei ihrer Ankunft einen Marsch spielten, da spitzten die zum Teil schon recht gebrechlichen Pferdeveteranen nochmals die Ohren und fingen unbeholfen zu tänzeln an. Die alte Marschmusik fuhr ihnen ordentlich in die alten Knochen und erweckte längst verschüttete Erinnerungen an ihre aktive Dienstzeit.

Bürgermeister Dr. Eickemeyer gedachte in einer herzlichen Ansprache der treuen Kameradschaft und der schweren Opfer, durch die die Kriegspferde die Liebe und Zuneigung aller Frontsoldaten sich erworben haben. Die Ehrung gelte nicht nur den Kriegspferden selbst, sondern auch denjenigen, die diese treuen Kriegskameraden heute pflegen und ihnen das Gnadenbrot geben. In Nürnberg seien noch 33 Kriegspferde am Leben, die 29 Besitzern gehören. 18 Pferde seien bei Landwirten, die übrigen in Gärtnereien, bei Fuhrunternehmern untergebracht, zwei davon seien im Tattersall und eins stehe noch im Militärdienst. Vier Pferde betreue allein der als Tierfreund bekannte Nürnberger Kaufmann Krauß in der Tucherstraße 13. Nürnberg habe den Gedanken der Kriegspferdeehrung mit Freuden aufgegriffen und habe gern eine Ehrenspende gegeben, die hinter den Kriegspferden auf einem von einem festlich geschmückten Doppelgespann gezogenen Wagen des Brauhauses Nürnberg sich befand.

Nach der Ansprache ging Bürgermeister Dr. Eickemeyer zu den Pferden, von denen jedes eine mit den Stadtfarben geschmückte Ehrentafel «Kriegskamerad» umgehängt bekam.

Oberstleutnant v. Framberg würdigte sodann die Opfer der 1 270 000 Pferde, die im Krieg schwere Dienste leisteten und von denen über 1 Million nicht mehr in die Heimat zurückkehrten. Er sprach den Wunsch aus, daß die wenigen Pferdeveteranen, die heute geehrt wurden, in Nürnberg noch recht lange ein beschauliches Dasein führen möchten.

Bürgermeister Eickemeyer verteilt das Ehrenschild an die Kriegspferde.
Phot.: Bauer, Fränk. Kur.

33 deutschen Kriegspferde für ihre treue Kameradschaft, die sie während des Krieges in schwerer Zeit bezeugten, von den alten Soldaten und von der Nürnberger Bevölkerung feierlich und mit rührender Liebe geehrt. Die alten Pferdeveteranen, die nun außerhalb der Armee bei Nürnberger Pferdehaltern Dienst tun und dabei mehr oder weniger das Gnadenbrot erhalten, wurden an diesem Morgen von Sol-

Bühne hatten Vertreter der Partei, der Generalität des alten Heeres, des Soldatenbundes, des Kyffhäuserbundes, der Stadt und der übrigen Behörden Aufstellung genommen, während die Bevölkerung den Platz dicht umsäumte.

Auf dem Platz hatte zu Ehren der Kriegspferde eine reitende Batterie und das Trompeterkorps des Artillerie-Regiments 17 Aufstellung genommen. Und

Geführt von jungen Soldaten zogen die alten Kriegspferde mit ihrer Ehrentafel auf der Brust langsam und schon etwas steif geworden wieder ab. Eine gutherzige Nürnberger Frau war in diesem Augenblick aus der Reihe der Zuschauer hervorgetreten und reichte jedem der Pferde aus einer Handtasche eine Hand voll Zucker hin. Ein rührendes Beispiel menschlicher Liebe und Dankbarkeit und ein schönes Zeichen für das nicht zu Unrecht gerühmte Nürnberger goldene Herz.

36 *Die Rückkehr der «Reichskleinodien» – der Kaiser-
krone und anderer Hoheitszeichen des alten Deutschen
Reiches – war als besondere Auszeichnung für Nürnberg
als «Herzstadt des Reiches» gedacht. 1424 «für ewige Zeiten» in die Obhut Nürnbergs gegeben, war der Reichs-
schatz 1796 vor den Franzosen nach Wien in Sicherheit
gebracht worden und seither dort geblieben.
Im Bild: Übergabe am 6. September 1938 in der Kathari-
nenkirche.*

deshalb ein Aufruf erregen, der am 15. September
1934 als Extrablatt der parteiamtlichen «Fränkischen Tageszeitung» erschien, auf den auch riesige
Plakate hinwiesen. «Fort mit Landesbischof Meiser!» lautete die Überschrift. Der Hintergrund dieses Generalangriffs war, daß Landesbischof Meiser
sich inzwischen von der dem NS-Regime geneh-
men Reichskirchenleitung distanzierte, weil er Bekenntnis und Verfassung der Bayerischen Landeskirche bedroht sah. Über 90% der Nürnberger
Pfarrer ergriffen Partei für ihren Landesbischof
und die Landeskirchenleitung, die sich einer gewaltsamen Eingliederung in die nationale Reichskirche widersetzten. Rasch wurden, neben den re-
gulären Gottesdiensten, zahlreiche, stets überaus
gut besuchte Bitt- und Bekenntnisgottesdienste organisiert. Am 21. Oktober 1934 unternahmen 800
Nürnberger eine Sonderzugfahrt nach München,
wo sie für ihren in Hausarrest gehaltenen Landes-

bischof demonstrierten und seine Wiedereinset-
zung forderten.

> «Den ganzen Monat Oktober über be-
> herrschte der evangelische Kirchenstreit die
> Gemüter in einer Weise, daß alle anderen
> Ereignisse dagegen zurücktraten.»
>
> *Beginn eines Lageberichts der Regierung von
> Ober- und Mittelfranken Oktober 1934* [25]

Beide Seiten trugen ihren Streit mit äußerster Er-
bitterung aus. Am 21. Oktober 1934 kam es in der
Nürnberger Lutherkapelle zu Tumulten und Tätlichkeiten: zwei Pfarrer, der eine von den «Deutschen Christen» und der andere der rechtmäßige
Pfarrer der Landeskirche, forderten sich – während des Gottesdiensts! – angesichts einer johlen-
den Gemeinde gegenseitig zum Verlassen der Kirche auf. Schließlich wurde von seiten der unterlie-
genden «Deutschen Christen» ein kath. SA-Unter-
führer um Hilfe angerufen. Und ebenso bezeich-
nend: als im März 1935 ein von den «Deutschen
Christen» angeregter Besuch des Reichsbischofs
Müller in Nürnberg in Aussicht stand, da wies der
Kreisdekan D. Julius Schieder, ein Wortführer der
bekenntnistreuen Kräfte der Landeskirche, seine
Pfarrer an, daß während der Anwesenheit des
Reichsbischofs auf fränkischem Boden keine
Glocken geläutet werden dürfen und daß an allen
Kirchtürmen schwarze Fahnen gehißt werden
sollen. Der neue Polizeipräsident wirkte mäßi-
gend und vermittelnd ein und versuchte beiden
Seiten gerecht zu werden. Auch auf diesem Feld
lieferte er ein schillerndes Bild: während der Son-
derbevollmächtigte des Landesbischofs von Dr.
Martin den Eindruck gewann: «Sehr bald merkte
ich, daß er eigentlich auf unserer Seite stand» [26], ist
von einem engen Mitarbeiter Martins dessen Aus-
spruch überliefert: «Es gehören unbedingt einmal
ein paar Pfarrer an die Wand gestellt» [27]. Immerhin ist bemerkenswert, daß es auch auf dem
Höhepunkt des erbitterten Kirchenkampfes zu
keiner einzigen Verhaftung eines Pfarrers in Nürnberg kam.
Die «Deutschen Christen» (DC) fühlten sich seinerzeit im Aufwind. In Nürnberg und im benachbarten Fürth gab es 19 DC-Ortsgruppen mit

5–6000 Mitgliedern. Der Nürnberger Stadtteil Eibach wurde zur größten DC-Gemeinde in ganz Bayern, die dortige Kirche zur «Traditionskirche» der «Deutschen Christen». Aber trotz allen zunächst erfolgreich scheinenden Vordringens und der Unterstützung von Staat und Partei gelang ihnen kein Masseneinbruch in Kirchenleitung, Pfarrerschaft und Kirchenvolk (1935 waren von rund 1000 aktiven Pfarrern in Bayern ca. 50 DC-Geistliche). Am Ende des Kirchenkampfs – des Widerstands gegen die gewaltsame Eingliederung in eine regimetreue Reichskirche einerseits und der Auseinandersetzung mit der «Irrlehre» der «Deutschen Christen» – stand ein voller Sieg der Evang.-Lutherischen Landeskirche unter der fortan unangefochtenen Führung von Landesbischof Meiser. Politischen Widerstand gegen den Nationalsozialismus innerhalb der Kirche und von ihr ausgehend lehnte Meiser jedoch auch in der Folgezeit aufs schärfste ab.

Auf einem anderen Gebiet waren die Reibungsflächen zwischen NS-Regime und Kirche nicht auf die evang.-luth. beschränkt. In dem Bestreben nach «Durchtränkung» aller Lebensbereiche mit dem Geist des Nationalsozialismus richteten Staat und Partei ein besonderes Augenmerk auf die Schule, denn ein vorrangiges Ziel mußte sein, die Jugend zu gewinnen. Dem Nürnberger Schulwesen war neuerdings als oberste Aufgabe gestellt: «Jeder Volksgenosse muß zum Kämpfer im Geist des Führers erzogen» und folgerichtig der Schulunterricht «zur weltanschaulichen Schulung» werden[28]. Bei den Anmeldungen zur Volksschule anfangs 1933 entschied sich noch die Mehrheit der Eltern für die konfessionell geprägte und getrennte Schule (42 % der Schulanfänger wurden zur «Gemeinschaftsschule» angemeldet). In evangelischen Kreisen, die traditionell national und staatstreu eingestellt waren, fiel die Werbung der NSDAP für die «deutsche christliche Gemeinschaftsschule» auf fruchtbaren Boden: bereits bei den Anmeldungen zum Schuljahr 1934/35 gingen die Anmeldungen zur evang. Bekenntnisschule um mehr als 50 % zurück. Wesentlich kirchentreuer verhielten sich die katholischen Eltern. Die «Fränkische Tageszeitung» meinte zu diesem Ergebnis: «Die Entscheidung der Nürnberger katholischen Elternschaft beweist auch, daß sie vom wahren Nationalsozialismus noch weit entfernt ist».[29] In den folgenden Jahren verstärkte die Partei ihren Druck. Der NS-Lehrer-

Zum deutschen Erntetag:
Arbeiter, Bürger, Bauern –
Deutschlands granitene Mauern!

Der deutsche Gruß in den Schulen

Das Staatsministerium für Unterricht und Kultus gibt bekannt: Künftig haben sich in allen Schulen Lehrer und Schüler des deutschen Grußes zu bedienen. Der deutsche Gruß wird durch Heben des rechten Armes erwiesen. Bei Beginn und Ende der Unterrichtsstunden grüßen die Schüler den Lehrer durch Aufstehen, Einnehmen aufrechter Haltung und Heben des rechten Armes. In gleicher Weise werden die während des Unterrichts das Klassenzimmer betretenden Vorgesetzten, Gäste usw. begrüßt. Die Lehrer erwidern den Gruß, der Schüler und der anderen Lehrer auch ihrerseits mit dem deutschen Gruß. Dieser Gruß ist im gesamten Schulbereich anzuwenden, also auch z. B. im Schulhof und auf Schulwanderungen. Entsprechendes gilt für die Erzieher und Zöglinge der Erziehungsanstalten.

Fest der Deutschen Schule

○ Die Hauptprobe zum Fest der deutschen Schule, das am Samstag nachmittags 2 Uhr im Stadion stattfindet, war von herrlichstem Wetter be-

37 *Schon bald nach der Machtübernahme war die Schule ein vorrangiges Ziel der Anstrengungen, alle Lebensbereiche mit dem Geist des Nationalsozialismus zu «durchtränken». Bereits ab Herbst 1933 mußten an allen Nürnberger Schulen Lehrer und Schüler den «Deutschen Gruß» anwenden.*

bund wirkte auf Lehrer an Volksschulen ein, daß sie von sich aus für die Gemeinschaftsschule eintreten und sie «spontan» fordern sollten. Solche Druckmittel, der pausenlose Appell an die «nationale» Haltung der Eltern und die systematische Behinderung der kirchlichen Werbe- und Aufklärungsarbeit führten zum gewünschten Ziel, auf evang. Seite wesentlich rascher und leichter als auf kath.: von 36 100 Nürnberger Schülern besuchten 1937 lediglich noch 541 Konfessionsschulen. Der neuernannte Stadtschulrat Fink konnte 1936 triumphierend mitteilen, daß die Nürnberger Volksschulen jetzt «judenfrei», und ein Jahr später, daß nunmehr auch die letzten Reste der Konfessionsschule in Nürnberg beseitigt seien. Ein bedeutendes Stück «Gleichschaltung» war gelungen.

Die Massenarbeitslosigkeit – die Folge der Weltwirtschaftskrise der frühen dreißiger Jahre, die in der Endphase der Weimarer Republik so viel zur innenpolitischen Vergiftung und zum spektakulären Siegeszug der NSDAP beigetragen hatte – ging in den folgenden Jahren weiter zurück: 54 148 in Nürnberg registrierte Arbeitslose im März 1933, 24 618 im März 1935, 8634 im März 1937. Dementsprechend reduzierte sich die Belastung des städtischen Haushalts durch Wohlfahrtslasten: von 20,4 Mill. RM (1933/34) auf 8,6 Mill. RM innerhalb von drei Jahren. Eine umfangreiche Bautätigkeit belebte den Arbeitsmarkt. Zur Großbaustelle Reichsparteitagsgelände kam der Autobahnbau östlich Nürnbergs hinzu, der im Frühjahr 1935 begann. Der private Lebensstandard der Bevölkerung nahm langsam, keineswegs sprunghaft zu. Die «Zuwachsraten» beispielsweise beim Wohnungsbau oder privaten Energieverbrauch nahmen sich, gemessen am propagandistischen Aufwand, mit denen sie veröffentlicht und gefeiert wurden, eher bescheiden aus. Auf anderen Gebieten gab es beachtliche Steigerungen: so verdoppelte sich beim Fremdenverkehr die Zahl der Besucher innerhalb von nur vier Jahren, die Zahl der ausländischen Besucher nahm sogar um 150% zu. Auch die Zahl Nürnberger PKWs verdoppelte sich zwischen 1933 und 1937 (aber: von 1925 bis 1929 nahezu Verdreifachung!). Aufs Ganze gesehen konnten sehr viele Zeitgenossen den Eindruck haben: es geht wirtschaftlich unverkennbar voran.

In den minderbemittelten Schichten waren Not und Entbehrung allerdings noch auf Jahre hinaus weit verbreitet. Im Winter 1933/34 riefen Staat und Partei erstmals zum «Winterhilfswerk des deutschen Volkes» auf, zum «Kampf gegen Hunger und Kälte». Neben festgelegten Lohn- und Gehaltsabzügen gab es nun ständig Appelle an die Spende- und Opferbereitschaft der Bevölkerung, Haus- und Straßensammlungen, Spendenaktionen einzelner Berufsgruppen und die sogenannten «Eintopfsonntage». Alle Gaststätten und Restaurants durften nur ein einziges einfaches Eintopfgericht anbieten; vom Essenspreis mußte der über 50 Pfennig hinausreichende Betrag an das «Winterhilfswerk» abgeführt werden; alle Privathaushalte sollten sinngemäß verfahren – nach dem Motto «jedes Eintopfgericht macht zwei Familien satt». In den Winterhalbjahren verging kein Monat, manchmal kaum ein Wochenende ohne irgendeine Sammel-

aktion. (Die riesigen Geldbeträge und Sachwerte, die auf diese Weise zusammenkamen, entlasteten den Staat, der dadurch die Sozialleistungen der öffentlichen Hand auf niedrigem Stand halten konnte, und förderten indirekt die Finanzierung der mit Macht betriebenen Aufrüstung.)

An Sonntagen war auf den Straßen der Innenstadt häufig etwas los. Zu den zahlreichen «nationalen Gedenktagen», die regelmäßig mit großem Prunk gefeiert wurden – wie «Tag der Machtübernahme», «Heldengedenktag», «Führers Geburtstag», «Tag der nationalen Arbeit», «Feier des 9. November» – kamen viele örtliche Veranstaltungen und Feiern. Unaufhörlich gab es Anlässe für öffentliches Feiern in sehr publikumswirksamen Formen. So war zur Wintersonnenwende am 22. Dezember 1936 die Nürnberger SA vor zahlreichen aufgeschichteten Holzstößen im Stadtgraben angetreten, der sich um die gesamte Altstadt zieht. Auf ein Zeichen hin loderten gleichzeitig die Feuer auf und wurden «zu einem mächtigen Flammenring», der sich in weitem Bogen um den Stadtmauerring legte.[30] Eine «denkwürdige Ehrung, wie sie Nürnberg wohl noch keine erlebte»[31], fand am 24. November 1937 statt: auf dem fahnengeschmückten Hans-Sachs-Platz waren 33 Pferde versammelt, die am Ersten Weltkrieg teilgenommen hatten, und wurden durch eine Ansprache des Bürgermeisters, ein Musikkorps der Wehrmacht, durch das Umhängen von Tafeln mit der Aufschrift «Kriegskamerad» und durch eine «Ehrenhaferspende» geehrt.

Traditionspflege war der nationalsozialistischen Stadtverwaltung auch weiterhin sehr wichtig. Die Sanierungsarbeiten am Stadtmauerring und an historischen Gebäuden schritten voran, an alten Wohnhäusern wurden Fachwerk und Sandsteinmauerwerk freigelegt, die größtenteils schlechten sanitären Anlagen verbessert, die Kaiserstallung – ein Teil der die Stadt krönenden Burg – wurde zur «Reichsjugendherberge» umgebaut. Der Sinn für Tradition äußerte sich in den Bemühungen um die geschichtlich authentische Gestalt der alten Ho-

38

heitszeichen der Stadt (Siegel und Wappen) ebenso wie in der jahrelang angestrebten (und 1938 dann tatsächlich von Hitler angeordneten) Rückkehr der «Reichskleinodien» von Wien nach Nürnberg.

Für diejenigen Nürnberger, die nicht besonders aktive Parteigänger der Nationalsozialisten, erklärte politische Gegner oder Juden waren, verlief das alltägliche Leben zwischen den «Reichsparteitagen» und den zahlreichen anderen «nationalen» Ereignissen nicht grundsätzlich anders als zuvor. Manches veränderte sich freilich auch im privaten Alltag der «Normalbevölkerung».

Die Kinder gingen werktags zur Schule wie eh und je, bangten um ihre Noten und machten ihre Streiche. Aber schon im September 1933 wurde als äußeres Zeichen, daß in die Schulen ein neuer Geist einziehen sollte, auf ministerielle Weisung die Anwendung des «Deutschen Grußes» an allen Nürnberger Schulen für Lehrer und Schüler zur Pflicht. Als Folge geschickter Appelle an jugendliche Sehnsüchte, verführerischer Freizeitangebote und häufigen Drucks auf die Eltern traten die meisten Jungen der NS-Jugendorganisation «Hitler-Jugend» und ihrer Untergliederung «Deutsches Jungvolk» bei. Derartige «Werbeaktionen» zum Eintritt in das «Jungvolk» hatten einen solchen Erfolg, daß schon 1936 99% der Nürnberger Volksschüler dieser Organisation mehr oder weniger freiwillig angehörten und fast alle Volksschulen der Stadt als besondere Ehrung das Recht erhielten, die HJ-Fahne zu hissen. Schließlich war ab 1939 der Beitritt zur «Hitler-Jugend» bzw. zum «Jungvolk» Pflicht. Zugehörigkeit aber bedeutete: zweimal wöchentlich «Dienst», also Entzug von Elternhaus, Familie und freier Zeit für Spiel und andere ungegängelte Beschäftigungen.

Die Hausfrauen sorgten wie eh und je für das Wohl ihrer Familien, gingen zum Markt und in die damals noch vorherrschenden Einzelhandelsgeschäfte und hatten meist ihre liebe Not, mit den bescheidenen Einkünften ihrer Männer zu wirtschaften. Vor allem aber: sie brachten – zur Genugtuung von Staat und Partei – wieder mehr Kinder zur Welt. Innerhalb von nur zwei Jahren, zwischen 1933 und 1935, stieg die Geburtenzahl in Nürnberg um über 35%. Berufstätigkeit der Frau entsprach nicht dem Frauenideal des Nationalsozialismus. Daher war auch nicht verwunderlich, daß an der Benachteiligung weiblicher Arbeitskräfte in Indu-

strie und Gewerbe – also den Wirtschaftsbereichen, in denen die Mehrzahl der Berufstätigen beschäftigt war – sich überhaupt nichts änderte. Bei nahezu konstant bleibenden Löhnen und Gehältern verdienten in Nürnberger Betrieben ungelernte und angelernte Arbeiterinnen 25–35% weniger als ihre männlichen Kollegen; bei Facharbeiterinnen betrug der tarifliche Unterschied sogar 35–40%.

Infolge öffentlicher Arbeitsbeschaffungsmaßnahmen und des allgemeinen Wirtschaftsaufschwungs, wesentlich mitbestimmt durch die gewaltige Aufrüstung, verschwand die Arbeitslosigkeit bis 1938 so gut wie völlig. Zehntausende Nürnberger, die teilweise jahrelang arbeitslos gewesen waren und die damit zusammenhängende Not und Hoffnungslosigkeit durchlitten hatten, verfügten nun wieder über einen sicheren Arbeitsplatz. Das blieb nicht ohne Spuren in den Gefühlen vieler unpolitischer «Normalbürger» gegenüber dem herrschenden Regime. Wer im Öffentlichen Dienst stand oder in der Wirtschaft eine wie auch immer herausgehobene Stelle innehatte, war in seinem Fortkommen begünstigt, wenn er der NSDAP oder einer ihrer zahlreichen Gliederungen und angeschlossenen Verbände beitrat. Im Lauf der Jahre erwarben immer mehr Männer (aber auch Frauen) eine solche Mitgliedschaft aus freien Stücken oder aufgrund mehr oder weniger starker Pressionen. Wer aber einmal Mitglied der Partei oder einer ihrer Organisationen war, der konnte über seine freie Zeit nicht mehr verfügen wie früher. Die angeordnete Teilnahme an Appellen, Kundgebungen, Versammlungen und eine Fülle anderer Verpflichtungen und Zwänge schränkte seine Freizeit empfindlich ein. Einige Bereiche gab es, wo man einigermaßen Ruhe vor der Allgegenwart der Partei und ihren Zumutungen haben konnte. Wer sonntags ins Grüne fuhr, per Fahrrad oder Eisenbahn (das war die Regel) – wer in den Feldern und Wäldern der sehr reizvollen Umgebung wanderte – wer zum Fußballplatz ging oder zu einer anderen sportlichen Veranstaltung: der verbrachte seine Freizeit nahezu genauso wie in der Zeit vor der NS-Machtübernahme. Der Ruf Nürnbergs als Sporthochburg setzte sich auch im Dritten Reich fort. Der renommierte 1. FCN gewann 1936 in einem aufregenden Spiel gegen Fortuna Düsseldorf nach zweimaliger Spielverlängerung mit 2 : 1 die Deutsche Fußballmeisterschaft zum sechsten Mal. Aber beim trium-

Nürnberg meldet: 300484 Ja=Stimmen

Der Tag des Großdeutschen Reiches / Wahlbeteiligung wie noch nie

Abgegebene Stimmen: 301784, Ja 300484, Nein 1238, Ungültig 62

Der große Appell auf dem Adolf-Hitler-Platz

Hitler-Jugend zum Sprechchor angetreten

Helm ab zum Gebet! Die Wehrmacht während des ... Niederländischen Dankgebetes.

Generals Freiherr v. Weichs auf dem Adolf-Hitler-Platz eintraf und sich unter stürmischen Heil-

Hitler-Jugend rief zur Wahl

Hochbetrieb im Wahllokal

Phot.: Bauer (S)

39 Obwohl seit Sommer 1933 keine anderen Parteien mehr zugelassen waren, konnte die Bevölkerung zwischen 1933 und 1938 noch viermal «wählen». Man konnte sich allerdings nur für oder gegen Hitler und das NS-Regime entscheiden. Im Bild: Zeitungsbericht vom Vorabend und vom Tag der «Volksabstimmung über die Wiedervereinigung Österreichs mit dem Deutschen Reich» im April 1938. In Nürnberg gab es dabei 99,6% Ja-Stimmen.

phalen Empfang anderntags begrüßte als erster ein hoher SA-Führer die siegreiche Club-Mannschaft, eine SA-Kapelle gab die musikalische Begleitung, Partei-Formationen bildeten an den Straßen Ehrenspalier bei der anschließenden Triumphfahrt durch die Stadt. Bei den Olympischen Spielen im selben Jahr waren unter den Medaillengewinnern vier Nürnberger (darunter Gold im Turnen der Frauen und Silber im Wasserball). Nürnberger Sportler errangen im Rollschuhkunstlauf, im Rollschuhpaarlauf und im Freistilringen die Europameisterschaft und setzten die Tradition einheimischer Sporterfolge fort.

In steigendem Maß gingen die Bürger der Stadt auch ins Theater und Kino. Innerhalb der ersten fünf Jahre des Dritten Reiches nahm der Theaterbesuch um fast 20 % und der Kinobesuch um über 36 % zu. Dieses geänderte Freizeitverhalten vieler Nürnberger hing mit der Besserung ihrer wirtschaftlichen Lage zusammen; es hatte zweifellos aber auch damit zu tun, daß sie dort – wenigstens stundenweise, vermeintlich oder tatsächlich – gewisse ideologie- und parteifreie Räume fanden. An den Spielplänen des Theaters änderte sich nicht viel; man hielt sich vorwiegend an das Bewährte und Vertraute. Dabei war man auf diesem Gebiet nicht puritanisch: selbst in der Stadt, in der Streicher wirkte und hetzte, konnten die von jüdischen Komponisten stammenden Operetten «Schwarzwaldmädel» und «Das Dreimäderlhaus» weiterhin ihr Publikum erfreuen. Das bedeutendste Museum der Stadt, das «Germanische Nationalmuseum», hegte und zeigte seine unermeßlichen Schätze, weitgehend unberührt von den Turbulenzen der Zeit, und fand immer mehr Besucher. Ihre Zahl verdreifachte sich innerhalb von nur vier Jahren; das ging teilweise auch auf das Konto des kräftig gestiegenen Fremdenverkehrs. Auch zu «unpolitischen» Großveranstaltungen, wie der vielbeachteten Hundertjahrfeier der deutschen Eisenbahn 1935 (die erste mit Dampfkraft betriebene deutsche Eisenbahn hatte 1835 den Verkehr zwischen Nürnberg und dem benachbarten Fürth aufgenommen), zum «Fränkischen Sängerfest» 1936 und zum alljährlichen «Volksfest», dem Oktoberfest Frankens, strömten die Nürnberger in ihrer Freizeit scharenweise.

Den Versuchen des Regimes, alle Lebensbereiche zu «durchtränken», konnte man sich nach dem Ende des Kirchenkampfs auch dann zeitweise entziehen, wenn man sonntags den Gottesdienst besuchte und sonstwie aktiv am Leben der Kirche teilnahm. Gern wurde das von der Partei freilich nicht gesehen. Innerhalb von fünf Jahren kehrten über 10 000 Nürnberger ihrer Kirche den Rücken: die Kirchenaustritte nahmen zwischen 1934 und 1938 um das 17fache zu. Gleichzeitig ging die Zahl der kirchlichen Trauungen – bei wachsender Heiratsfreudigkeit – erheblich zurück.

Ein ganz «normales» Alltagsleben inmitten sehr unnormal gewordener Umstände des staatlichen und öffentlichen Lebens zu führen, war für die Mehrzahl der Bürger nicht unmöglich. Aber sich konsequent den Ansprüchen der Partei und ihren Einflußversuchen zu entziehen, kostete Anstrengungen und bedeutete, wenn es aus politischen oder moralischen Gründen geschah, eine Distanzierung vom herrschenden Regime.

In den Jahren 1936 und 1938 konnte nochmals gewählt werden. Man konnte nur für oder gegen Hitler und sein Regime entscheiden. Bei beiden «Wahlen» gab es in Nürnberg 99 % Ja-Stimmen für das herrschende Regime. Wenngleich ein Klima der Einschüchterung sicher nicht ganz unbeteiligt war, so entsprachen diese Ergebnisse aber durchaus der Zustimmung der überwiegenden Mehrheit aller Nürnberger zu den außenpolitischen und wirtschaftlichen Maßnahmen der Staatsführung zwischen 1934 und 1938.

«All das aber haben wir einzig und allein dem Manne zu danken, dem Deutschland und damit auch Nürnberg seinen Aufstieg verdankt: Adolf Hitler. – Die Stadt der Reichsparteitage Nürnberg wird für ewige Zeiten ein lebendiges und erhabenes Denkmal dieses größten Deutschen und der von ihm geschaffenen und zum Siege geführten nationalsozialistischen Bewegung bleiben!»

Schlußworte des Rechenschaftsberichts der NS-Stadtverwaltung über die ersten fünf Jahre ihrer Tätigkeit [32]

Wehe dem Zeitgenossen, der vier, fünf Jahre später – etwa angesichts der Folgen eine Luftangriffs auf die Stadt – die gleiche Aussage gemacht hätte.

3. Das «andere» Nürnberg
Widerstand und Opposition

Am Abend des 27. Februar 1933 stand das Reichstagsgebäude in Berlin in hellen Flammen. Die neue Hitler-Regierung behauptete sofort: das war organisierte Brandstiftung von Kommunisten (bis heute ist nicht mit letzter Sicherheit geklärt, wessen Werk diese Brandstiftung tatsächlich war). Jedenfalls hatte die Regierung ihren willkommenen Vorwand für einen umfassenden Schlag gegen die KPD. Anderntags konnten einige wichtige Funktionäre der nordbayerischen KPD-Führung gerade noch rechtzeitig untertauchen. So gut wie alle blieben im Land: teils in Verkennung der Gefahr, teils im Gehorsam gegenüber Befehlen der Partei. Trotz der schon einige Wochen zurückliegenden Machtübernahme durch die Nationalsozialisten im Reich war die Nürnberger KPD für eine Untergrundtätigkeit wenig vorbereitet. Nach dem Verbot sämtlicher kommunistischer Veranstaltungen begannen in den ersten Märztagen Verhaftungen, Wohnungsdurchsuchungen, Aktionen zur Beschlagnahme von Propagandamaterial. Gegen Arbeiterviertel richteten sich regelrechte Razzien: frühmorgens tauchten starke Trupps von Polizei, SA und SS auf, riegelten Häuserblocks und ganze Straßenzüge hermetisch ab und durchsuchten jede Wohnung. Schätzungsweise 250 Nürnberger Kommunisten wurden verhaftet und in das Konzentrationslager Dachau eingeliefert. Einen organisatorischen Zusammenhang einzelner weiterhin aktiver Restgruppen gab es nicht mehr – es sah im März und April 1933 so aus «als habe diese Partei aufgehört zu existieren», wie ein Bericht der Bayerischen Politischen Polizei feststellte.[1]

Aber der Schein trog. Schreibmaschinen, Vervielfältigungsapparate und Matrizen wurden zu wichtigen Instrumenten kommunistischen Widerstandswillens. In einigen Stadtteilen tauchten heimlich hergestellte Informations- und Propagandablätter mit Titeln wie «Rote Altstadt» oder «Roter Sandberg» oder «Rotes Gostenhof» auf, von einzelnen Verteilern an zuverlässige KPD-Mitglieder ausgeliefert oder wahllos in Hausbriefkästen gesteckt und in Treppenhäusern abgelegt. Andere Kommunisten schmuggelten Zehntausende von Flugblättern und Broschüren auf nächtlichen Grenzgängen aus der nahen Tschechoslowakei ein, mühsam auf kleine Päckchen verteilt und – teilweise sogar auf dem Postweg – nach Nürnberg befördert. Den mutigen Herstellern und Verbreitern solcher ille-

40 *Gleich nach der nationalsozialistischen Machtübernahme in der Stadt begann die SA, Wohnungen zu durchsuchen und politische Gegner zu verhaften. In der ehemaligen «Arbeitersamariterwache» am Kornmarkt hatte eine berüchtigte SA-Sondereinheit ihr Lokal, wo sie die Verhafteten vernahm und mißhandelte.*

galer Schriften erging es schlecht, wenn sie in die Hände der SA fielen. Eine Sondereinheit hatte sich auf Hausdurchsuchungen und Vernehmungen politischer Gegner spezialisiert. Die Festgenommenen wurden auf einer SA-Wache mit Gummiknüppeln, Faustschlägen ins Gesicht und Fußtritten mißhandelt, bis die Peiniger ihr gewünschtes «Geständnis» herausgeprügelt hatten. Ein anderer Folterort waren Kasematten unterhalb der Burg, wo die Verhöre manchmal als «Femegericht der SA» inszeniert waren, die Vernehmer mit Kapuze und Maske vermummt. Ein Vorfall vom August 1933 wurde schon seinerzeit genau untersucht: in einer Höhle im Fränkischen Jura war ein Druckapparat zur Herstellung illegaler Schriften aufgestellt. Bei dem Versuch, neues Material aus dieser Höhlendruckerei Kurieren am Nürnberger Ostbahnhof zu übergeben, wurde der Flaschner Ludwig Göhring beobachtet und festgenommen, später auch der Reichsbahn-Mechaniker Oskar Pflaumer, der die Strickleiter für die unterirdische Druckerei hergestellt hatte. Auf der berüchtigten SA-Wache am Kornmarkt mußten die beiden derartige Mißhandlungen über sich ergehen lassen, daß Pflaumer daran starb. Bei der Obduktion der Leiche stellte der Gerichtsarzt fest, daß Pflaumer «in grausamster, qualvoller Weise mit stumpfen Gegenständen zu Tode geprügelt worden sei»[2]. (Das Vorhaben der seinerzeit noch einigermaßen intakten Justiz, die Sache strafrechtlich zu verfolgen, wurde von NS-Kreisen schließlich vereitelt.)

«Die blut- und haßgeschwängerte Atmosphäre des Jahres 1933 wurde in diesen Tagen wieder lebendig in dem Prozeß gegen 17 ehemalige Angehörige des Nürnberger SA-Sturmes ‹zur besonderen Verwendung›. Was damals geschah, wird stets ein Schandfleck auf dem Namen eines Kulturvolkes bleiben – nicht nur für die unmittelbar beteiligten Henkersknechte, sondern auch für die mit ihnen Sympathisierenden.»

«Nürnberger Nachrichten» 18.2.1948[3]

Auf Besitz oder Vertrieb von illegalen Schriften standen drakonische Strafen. Für derartige Fälle

war das im Frühjahr 1933 neu gebildete Sondergericht Nürnberg zuständig (Sondergerichte wurden durch eine Verordnung der Reichsregierung vom 31. März 1933 bei den Oberlandesgerichten gebildet, dienten der Verfolgung politischer Delikte und fungierten mittels einer stark vereinfachten Strafprozeßordnung als eine Art regimehöriges Schnellgericht). Einen Malergehilfen, dem lediglich der Verkauf einer einzigen kommunistischen Propagandaschrift zum Preis von 10 Pfennig nachgewiesen wurde, verurteilte das Sondergericht Nürnberg im Juli 1933 zu drei Jahren Gefängnis (nach der Verbüßung kam der Verurteilte nicht frei, sondern in das Konzentrationslager Dachau. Das geschah sehr häufig: aus politischen Gründen Verurteilte wurden unmittelbar nach Strafverbüßung in ein KZ eingeliefert). Einen Monat später wurde ein Schuster aus dem Arbeiterviertel Gostenhof verurteilt, weil er laut einer Denunziation ein politisches Flugblatt weitergegeben und eine kommunistische Stadtteilzeitung besessen habe – Strafmaß: zwei Jahre Gefängnis.

Die Entschlossenheit zum Widerstand und die Opferbereitschaft zahlreicher aktiver Kommunisten konnten nicht darüber hinwegtäuschen, daß es den Nürnberger Kommunisten in keiner Weise gelang, eine Massenbewegung des Widerstands in Gang zu setzen. Immer neue Aufrufe zum politischen Massenstreik und zum Widerstand aus den Betrieben heraus blieben praktisch ohne jede Wirkung. (Die meisten Kommunisten waren arbeitslos, hatten also keine direkte Beziehung zu Betrieben. Die

41 *Mit welcher Brutalität die im Widerstand Tätigen zu rechnen hatten, wenn sie in die Hände der SA fielen, enthüllte eine Untersuchung der seinerzeit noch einigermaßen intakten Justiz. Einer der beiden in dem Bericht erwähnten Kommunisten starb an den Mißhandlungen, die er bei seiner Vernehmung in der SA-Wache am Kornmarkt erlitt. (Der Nahme von Ludwig Göhring, der bei der Weitergabe illegal hergestellter Schriften überrascht wurde, ist in dem Bericht falsch geschrieben).*

Nürnberg,den 28.September 1933.

Der Untersuchungsrichter IV
beim
Landgerichte Nürnberg-Fürth.

An

die Polizeidirektion

N ü r n b e r g .

Betreff:
**Voruntersuchung gegen Korn und
Stark wegen Körperverletzung mit
Todesfolge (Todesfall Pflaumer
Oskar).**

Als Ergebnis der Voruntersuchung
steht bis jetzt folgendes fest:

Jn der Nacht vom 16./17.8.33 wurden Ludwig Göring und der verst.Oskar
Pflaumer von der Polizeihauptwache Nürnberg mittels Kraftwagens in die ehemalige Arbeitersamariterwache am Kornmarkt
zum Zwecke der Vernehmung verbracht.Über
die Aussage des Göring,der zunächst vernommen wurde,wurde ein Protokoll ange-
fertigt,das Göring unterschreiben mußte.
Göring wurde zur Erzwingung von Angaben
mit Stricken auf eine Tragbahre gebunden und mit einer Ochsensehne und einem
Gummiknüttel so mißhandelt,daß er nicht
mehr laufen konnte,sondern getragen werden mußte.

Nach dem Göring wurde der verst.
Pflaumer vernommen und dabei ebenfalls

überwiegende Mehrheit der Arbeiter in den Betrieben hörte auf die SPD, die aber schwieg in den ersten Monaten nach der Machtergreifung durch die Nationalsozialisten. Sie schwieg vor allem auch deshalb, weil sie hoffte, durch Stillhalten ihre Organisation und einen Rest möglicher Weiterarbeit zu retten.) Auch noch im Untergrund glaubte die KPD – total wirklichkeitsfern – schon nach kurzer Dauer der NS-Herrschaft würden sich die Massen der Arbeiter und Kleinbürger enttäuscht vom Nationalsozialismus abwenden. Dann könne unter Führung der KPD ein Massenwiderstand und schließlich eine revolutionäre Erhebung der Arbeiterschaft entfacht werden und die NS-Diktatur hinwegfegen. Besonders aktiv blieb der Jugendverband der illegalen KPD, der die Verfolgungen der ersten Monate – im Gegensatz zur Mutterpartei – besser überstanden hatte und personell und organisatorisch zunächst intakt geblieben war. Aber auch hier konnte von einer Massenbasis, geschweige einer Massenbewegung keine Rede sein: im Sommer 1933 waren in Nürnberg schätzungsweise noch 50 bis 80 Jungkommunisten aktiv. Mehrmalige Versuche, eine neue Parteiorganisation im Untergrund aufzubauen, wurden jeweils nach kurzer Zeit von der Polizei entdeckt und zerschlagen.

42 *Hermann Schirmer (1897–1981) gehörte zu den Nürnberger Spitzenfunktionären der KPD, die nach dem Verbot ihrer Partei untertauchen konnten. Aus dem Untergrund heraus leisteten er und viele andere Kommunisten aufopferungsvollen Widerstand. Aber schon ein Jahr später saßen nahezu alle Aktiven in Haft und war jeder organisierte KPD-Widerstand zerschlagen. Ungebrochen war Schirmer nach Kriegsende wieder an führenden Stellen für die KPD tätig.*

«Beachtenswert ist der Heroismus, die unglaubliche Zähigkeit und der nicht mehr zu überbietende fanatische Idealismus, mit dem die von den Parteiinstanzen geforderte illegale Arbeit ohne jegliches Entgelt und trotz der hohen Strafandrohungen ausgeführt wird.»

Aus einem Polizeibericht über die Tätigkeit der illegalen KPD Nordbayerns 1934[4]

Nahezu alle Nürnberger Kommunisten, die am Ende der Weimarer Republik und zu Beginn des Dritten Reiches als leitende Funktionäre oder aktive Mitglieder tätig waren, saßen nach nur einem Jahr nationalsozialistischer Herrschaft im Gefängnis, Zuchthaus oder Konzentrationslager. Bereits im Januar 1934 war jeder organisierte KPD-Widerstand gewaltsam beendet.

Die SPD bestand formell einige Monate länger als die KPD – nämlich bis zum offiziellen Verbot am 22. Juni 1933. Aber sie war nach der Reichstagswahl vom 5. März 1933 nur noch ein Schatten ihrer selbst. Das zentrale Nürnberger Parteibüro war besetzt, ihre Zeitung «Fränkische Tagespost» konnte nicht mehr erscheinen, die zahlenmäßig mächtigen republikanischen Selbstschutzverbände «Eiserne

43 *Die markigen Überschriften, mit denen die Zeitung der Nürnberger Sozialdemokratie Massenkundgebungen und Wahlveranstaltungen für Demokratie und Republik noch im Februar 1933 feierte, entsprachen einer seinerzeit weitverbreiteten Selbsttäuschung. Aber nach dem Schock über die erlittene Niederlage und einer vorübergehenden Lähmung erwachten bei vielen Sozialdemokraten Widerstandswille und die Kraft zu entschlossenem Handeln.*

Front» und «Reichsbanner Schwarz-Rot-Gold» hatten nach ihrem Verbot am 11. März 1933 kampflos aufgehört zu bestehen, ihre wichtigsten Funktionäre waren verhaftet. Im neugebildeten Stadtrat, dessen Sitzverteilung angepaßt worden war an das Ergebnis der Reichstagswahl vom 5. März, war die SPD mit 16 Sitzen noch zweitstärkste Fraktion. Aber die SPD-Stadträte waren in der weiteren Ar-

beit nicht nur ständigen Drohungen und Verunglimpfungen, sondern auch offener Gewaltanwendung ausgesetzt. Am Ende der Stadtratssitzung am 27. April 1933 schlug ein NS-Stadtrat seinen sozialdemokratischen Kollegen Karl Bröger, den bekannten Arbeiterdichter, mit einem Stuhlbein und verletzte ihn dabei ernstlich. Wenig später verzichteten die SPD-Stadträte von sich aus auf die Aus-

44 *Aus der nahen Tschechoslowakei wurden Zeitungen und andere Aufklärungsschriften der Exil-SPD eingeschmuggelt und im Gegenzug dorthin Nachrichten und Stimmungsberichte für den Parteivorstand übermittelt. An der im Bild gezeigten Stelle der bayerisch-tschechischen Grenze bei Flossenbürg spielten sich 1933/34 solche Kontakte Nürnberger Sozialdemokraten ab, die sich dabei – je nach Jahreszeit – als Wanderer oder Skiläufer tarnten.*

übung ihrer Mandate. Es war erst einige Monate her, seit die SPD-Parteizeitung in einem Bericht über Massenkundgebungen der «Eisernen Front» noch geschrieben und diese Stelle im Text ausdrücklich hervorgehoben hatte: «Auch in Nürnberg stehen Zehntausende bereit, die Freiheit zu schützen»[5].

Vorbereitungen für illegales Arbeiten waren nicht erfolgt. Bei vielen Sozialdemokraten breiteten sich Enttäuschung, Resignation und Angst aus – Enttäuschung und Resignation wegen des raschen, kampflosen Zusammenbrechens ihrer Partei,

Angst vor dem in dieser Heftigkeit nicht erwarteten Terror des politischen Gegners. Einige Gruppen besonders aktiver Genossen, vor allem in den vorwiegend von Sozialdemokraten bewohnten Siedlungen Gartenstadt und Loher Moos, trafen sich zu regelmäßigen Waldwanderungen mit vorwiegend politischen Gesprächen – zu «politischen Spaziergängen», wie es die Anklageschrift des Generalstaatsanwalts beim Obersten Bayerischen Landesgericht vom 11. Oktober 1934 ausdrückte – und sorgten für ihren Zusammenhalt. Im Lauf des Sommers und Herbsts 1933 gelang es, einen Vertei-

45 *Das am 20. März 1933 errichtete Konzentrationslager Dachau (bei München) war das erste und zeitweise größte seiner Art. Schon im Frühjahr und Sommer 1933 mußten Hunderte von Nürnberger Kommunisten und Sozialdemokraten es kennenlernen. KZ-Haft galt als polizeiliche Maßnahme zur Bekämpfung und Ausschaltung politischer Gegner und war richterlicher Nachprüfung entzogen. Die Nationalsozialisten machten aus der Existenz von Konzentrationslagern keinerlei Hehl.*

lerapparat für eingeschmuggelte Zeitungen aufzubauen. Im Gegensatz zu den Kommunisten verzichteten die Nürnberger Sozialdemokraten auf die Herstellung eigener Schriften. Als Wanderer oder Schiläufer getarnt, holten Verbindungsleute aus der Tschechoslowakei illegale Druckschriften, vor allem die von der Exil-SPD herausgegebene Parteizeitung «Neuer Vorwärts», die auch in einer besonderen, auf Streichholzschachtelgröße faltbaren Ausgabe erschien, und transportierten das Schmuggelgut in ihren Rucksäcken und Brotbeuteln oder um den Leib gewickelt. Zuverlässige Ge-

nossen sorgten für den Weitertransport und die Verteilung in Nürnberg. Gleichsam in Gegenrichtung wurde ein Kuriersystem organisiert zum Beschaffen und Weiterleiten von politischen Informationen (über die Stimmung in Betrieben, über die Stimmung unter den Genossen und dergleichen), die für den Exil-Vorstand in Prag wichtig sein konnten.
Entscheidendes Verbindungsglied war der ehemalige Nürnberger Reichstagsabgeordnete und Parteisekretär Hans Dill, der von der Exil-SPD als «Grenzsekretär» für Nordbayern eingesetzt war

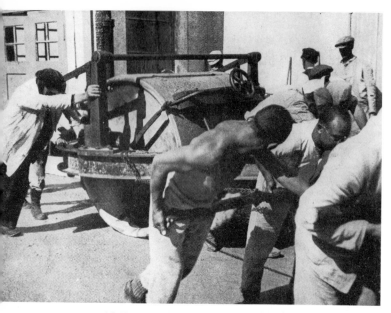

46 Die zeitgenössische Unterschrift zu diesem Bild aus dem KZ Dachau, bereits 1933 in einer deutschen Illustrierten erschienen, lautete: «Volksverführer, denen der Begriff Arbeit ihr Leben lang fremd geblieben ist, lernen ihn hier zum eigenen Nutzen kennen. Zum ersten Male arbeiten sie produktiv in einer Gemeinschaft».

47 Das von einem Bewacher gemachte Foto aus dem Jahr 1933 zeigt Nürnberger Sozialdemokraten im KZ Dachau. Dabei mußte der ehemalige Reichstagsabgeordnete und Vorsitzende des Internationalen Lederarbeiterverbandes Josef Simon ein Schild tragen mit der Aufschrift «Ich bin ein klassenbewußter SPD-Bonze». Für den Fall der Weigerung waren dem seinerzeit 68jährigen von seinen Bewachern Prügel angedroht.

und weisungsgemäß sich nahe der Grenze auf tschechischer Seite niedergelassen hatte (Grenzsekretariate waren entlang der ganzen tschechisch-deutschen Grenze eingerichtet; sie sollten die Verbindung zwischen den in Deutschland noch aktiven Sozialdemokraten und dem Parteivorstand in Prag aufrechterhalten und die Genossen in ihrer Widerstandstätigkeit unterstützen). Von den tapferen Männern, die in solchen illegalen Schriftenverteilungs-, Kurier- und Verbindungsdiensten tätig waren, spielten mehrere im politischen Leben Nürnbergs nach 1945 wichtige Rollen: so Julius Loßmann und Franz Haas als Bürgermeister, Andreas Staudt als Schul- und Kulturreferent, August Meier als langjähriger Vorsitzender der SPD-Stadtratsfraktion, Otto Kraus als Ortsvorsitzender der IG Metall. Auch der Mann der späteren Gesundheitsministerin Käthe Strobel gehörte zu ihnen (die meisten mußten ihre illegale Arbeit mit mehrjährigen Haftstrafen und KZ-Aufenthalten büßen). Um die Jahreswende 1933/34 kam es über etwaige gemeinsame Aktionen mit Kommunisten kurzzeitig zu tastenden Kontakten, aber noch ehe etwas daraus wurde, rissen sie wieder ab, als anfangs 1934 die führenden Kommunisten der Nürnberger Untergrundarbeit entdeckt und verhaftet wurden.

Wenige Monate später traf auch die Sozialdemokraten eine umfangreiche Verhaftungsaktion. In einem der beiden Verfahren gegen insgesamt 36 aktive Mitglieder der verbotenen SPD aus Nürnberg und Fürth meinte einer der Hauptangeklagten, der Nürnberger Schneider und Jungsozialist Andreas Umrath, in seinem Schlußwort zur Forderung des Staatsanwalts, gegen ihn eine zehnjährige Zuchthausstrafe zu verhängen: ein solches Urteil schrecke ihn nicht, die Hitler-Herrschaft werde nicht mehr lange dauern und seine Strafe werde er deshalb sowieso nicht absitzen müssen. Solche Täuschungen waren selbst 1935 unter den Gegnern des Nationalsozialismus noch verbreitet. Unter den Überschriften «Zuchthaus für SPD-Lumpen» und «Verurteilte Hetzer und Verräter» berichteten Nürnberger Zeitungen über die Prozesse[6]. Nach dieser Verhaftungswelle war es auch auf Seiten der Sozialdemokraten mit organisierter und systematischer politischer Arbeit vorbei.

Nicht nur die zahlreichen Verhaftungen und die Zerschlagung ihrer illegalen Organisation machte aktiven Sozialdemokraten zu schaffen. Im Juli 1934 berichtete Dill von einer Gruppe von Nürnberger Genossen und früheren Gewerkschaftlern, die die Lage äußerst pessimistisch beurteilten: «Sie sind niedergeschlagen über die Wirkung der Hitlerpropaganda auf die Industriearbeiter, denn sie müssen leider konstatieren, daß bei den Arbeitern nicht soviel natürlicher Verstand da ist, als wir immer vorausgesetzt haben.»[8] Nur noch kleine oppositionelle Freundes- und Diskussionskreise hielten sich am Leben, mühsam getarnt als Wanderverein, Stammtischrunde oder Arbeitergesangverein, aber ohne Verbindung zueinander und nach außen. Beiden Widerstandsbemühungen, der von Kommunisten und der von Sozialdemokraten, war gemeinsam, daß sie dreierlei weit unterschätzten: die Anziehungskraft des Nationalsozialismus auf einen Großteil der Bevölkerung, die Wirkung der wirtschaftlichen Erfolge (vor allem beim Abbau der Massenarbeitslosigkeit) auf viele Arbeiter und die terroristische Kraft ihrer politischen Gegner. Beiden war gemeinsam, daß sie in völliger Verkennung der Lage mit einer nur vorübergehenden Dauer der nationalsozialistischen Herrschaft rechneten. Beiden war gemeinsam, daß sie ihre Ziele auch nicht ansatzweise erreichten – die Kommunisten nicht das Ziel, Massenaktionen gegen das NS-Regime in Bewegung zu setzen und dadurch zu seinem baldigen Sturz beizutragen – die Sozialdemokraten nicht das Ziel, ihre Parteiorganisation intakt zu halten und ihren Einfluß auf die Arbeiterschaft zu behalten. Gerade weil ihnen handgreifliche Erfolge so gut wie völlig versagt blieben, sind die Aktivitäten dieser Männer und Frauen im Untergrund um so bewunderungswürdiger. In ihren

Deutsches Volk!

Hitler will eure Stimmen. Ihr sollt euch mitschuldig machen. Ihr sollt ihm Rechtfertigung für seine vergangenen und künftigen Verbrechen geben. Ihr würdet damit das ganze Volk als eine einzige große Verbrecherbande erscheinen lassen.

Er hat sich zum lebenslänglichen Diktator gemacht. Ihr sollt ihm bescheinigen, daß er unabsetzbar, unverantwortlich, absoluter Herr über euer Geschick, über Leben und Tod, Krieg und Frieden ist. Er hat den menschlichen Größenwahn und Machtrausch auf die Spitze getrieben. Heute heißt er noch Führer, morgen wird er sich Kaiser nennen.

Sein Plebiszit ist eine Lüge, ein Schein einer Volksabstimmung, ein Betrug. Wer ihm zustimmt, bescheinigt sich selbst seine eigene erbärmliche Knechtsgesinnung, seine völlige geistige Versklavung, der unterschreibt sein eigenes Todesurteil.

Hitler führt euch in einen Kriegswinter voll Hunger und Entbehrungen, neuer Arbeitslosigkeit und Not. Er will die Verantwortung dafür auf die Opfer abwälzen.

Das Blut seiner Kameraden und ungezählter Opfer aus den freiheitliebenden Massen klebt an seinen Händen. Seine Verbrecher haben alle Volksrechte geraubt. Sie haben dem Leben alle Würde genommen, Deutschlands Ansehen zerschlagen. Sie werden euch in einen neuen Weltkrieg hineinhetzen. Wenn die Not ihnen über den Kopf zusammenschlägt, wenn der völlige wirtschaftliche Zusammenbruch da ist, wenn die Empörung der Betrogenen und Enttäuschten sich gegen sie erhebt, dann werden sie den Krieg hervorrufen. Der Diktator auf Lebenszeit will die Rolle Bonapartes spielen.

Abscheu und Verachtung schlägt der herrschenden Verbrecherbande aus der ganzen Welt entgegen. Die ganze Welt sieht in ihr den tollen Hund, der den Frieden und die Menschheit bedroht. Sie aber belügen und betrügen das Volk, sie vergeuden und verprassen das Geld des Volkes, sie zerstören die Wirtschaft, verderben die Jugend.

Alle Schuld sammelt sich auf dem Haupte des Diktators. Er hat den Mord gerufen, er ist der Kriegshetzer, der Jugendverderber, der Kameradenmörder.

Ein Mensch, der sich eine so unverantwortliche allmächtige Stellung selbst zuschreibt, ist eine Gefahr für sein Volk, eine Bedrohung des Friedens und der ganzen Menschheit. Er muß wie ein gefährlicher Feind der Menschheit behandelt werden.

Dieser Mann will die Billigung und Bestätigung seiner Verbrechen von euch. Darauf gibt es nur eine Antwort:

Nein, nein, niemals!

Fort mit dem Verbrecher!

Freiheit!

48 *Ein in Nürnberg-Buchenbühl gefundener Flugzettel mit einem Aufruf der illegalen SPD zum Volksentscheid am 19. August 1934. Bei diesem Volksentscheid ging es um die Frage, nach Hindenburgs Tod das Amt des Reichspräsidenten mit dem des Reichskanzlers in Hitlers Person zu vereinigen, und damit um den Beginn der Alleinherrschaft Hitlers.*

49 *Länger als der organisierte Widerstand von Kommunisten und Sozialdemokraten konnte sich in Nürnberg eine bürgerliche Oppositionsgruppe unter Leitung des Versicherungsprokuristen Dr. Joseph E. Drexel (1896– 1976) halten. Nach Überstehen einer mehrjährigen Zuchthaus- und KZ-Haft gründete Drexel die erste Nachkriegszeitung seiner Heimatstadt, die «Nürnberger Nachrichten».*

Wohnungen und Familien waren sie nicht mehr sicher – in ihrer Umgebung waren sie je länger je stärker isoliert und allein – wurden sie entdeckt, drohten ihnen Entehrung, furchtbare Mißhandlungen und langjähriger Verlust der Freiheit.

Erheblich länger als der organisierte Widerstand von Kommunisten und Sozialdemokraten konnte sich in Nürnberg eine sozial ganz anders zusammengesetzte oppositionelle Bewegung halten.

Der links von der SPD stehende Politiker und Schriftsteller Ernst Niekisch gab seit 1926 die Zeitschrift «Widerstand» heraus, die im Lager des sogenannten «Nationalbolschewismus» stand. Während der Weimarer Republik vertraten zahlreiche, sehr unterschiedliche Gruppen und Grüppchen «nationalbolschewistische» Ziele und Ideen: nämlich eine Verbindung von scharfem Antikapitalismus und außenpolitischer Anlehnung an die Sowjetunion mit «nationalem» Widerstand gegen Staat und Gesellschaft der Weimarer Republik und die Folgen des Versailler Friedensvertrags. Aus den Anhängern Niekischs und seiner Zeitschrift «Widerstand» bildeten sich allmählich vor allem in Großstädten fester organisierte Gruppen, die sich schon vor 1933 «Widerstandsgruppen» und «Widerstandsbewegung» nannten. Das waren Diskussionszirkel, die sich vor allem aus Angehörigen des gebildeten Bürgertums zusammensetzten und sich um Kontakte zu den Arbeiterparteien und Gewerkschaften bemühten. Die stärkste und aktivste dieser Gruppen war die Nürnberger, geführt von zwei ehemaligen Freikorpskämpfern, dem Versicherungsprokuristen Dr. Joseph E. Drexel und dem Regierungsrat Karl Tröger.

Nach der Machtübernahme durch die Nationalsozialisten setzte die Nürnberger Gruppe ihre regelmäßigen Zusammenkünfte fort, wobei die Auseinandersetzung mit dem Nationalsozialismus immer stärker in den Mittelpunkt rückte. Getarnt als unpolitische Gesprächsrunde, als Stammtisch oder als Rundfunkbastelkurs, bemühten sich die Gruppenmitglieder unzensierte Informationen zu beschaffen und auszutauschen, ließen verbotene antifaschistische Literatur unter Gesinnungsfreunden zirkulieren und stellten Kontakte her zu Persönlichkeiten, die an wichtiger Stelle in Staat und Gesellschaft tätig waren und in Distanz zum Dritten Reich standen. Die Nürnberger Widerstandsgruppe wollte nicht in die Breite wirken, sondern vor allem ihren Zusammenhalt wahren über das Ende des Dritten Reiches hinaus, das bald erwartet wurde, um dann ihre politischen Ziele im Sinne von Ernst Niekisch zu verwirklichen. Innerhalb der Gruppe bildete sich um Dr. Drexel ein engerer Kreis, dem hauptsächlich Akademiker und Vertreter von Wirtschaft und Industrie in gehobenen Positionen angehörten. In diesem Kreis erörterte man Pläne für ein aktiveres Vorgehen einschließlich eines Attentats auf Hitler. Aber Ende 1935 gelang es der Nürnberger Gestapo, einen Spitzel in den Kreis einzuschleusen. Eineinhalb Jahre später machten eine umfangreiche Verhaftungsaktion – 75 Verhaftungen in Bayern, davon die Mehrzahl in Nürnberg – und zwei Prozesse vor dem Volksgerichtshof in Berlin dieser Widerstandsbewegung aus dem bürgerlichen Lager ein Ende.

> «Sicherlich war manches, was wir unternahmen, in den Augen kurzsichtiger Realpolitiker irrelevant, aber wir glauben doch, daß wir dazu beigetragen haben, vielen Verblendeten die Augen zu öffnen, viele Gleichgültige aufzurütteln und vielen Verzweifelten neue Hoffnungen zu geben.»
>
> *Dr. Joseph E. Drexel über die Arbeit der Nürnberger «Widerstandsgruppe»* [9]

Im Januar 1939 wurde Dr. Drexel zu 3½ Jahren Zuchthaus verurteilt. Gauleiter Streicher war im Prozeß unter den Zuhörern; als er an der Anklagebank vorüberging, hörte Drexel ihn sagen: «Ich werde dafür sorgen, daß Sie die Sonne nicht wiedersehen» [10]. In der Tat wurde Dr. Drexel nach Verbüßung seiner Zuchthausstrafe und einigen Jahren relativer, von der Gestapo überwachter Freiheit abermals verhaftet und in das Konzentrationslager Mauthausen gesteckt. Der Einlieferungsschein der Nürnberger Gestapo trug den Vermerk «Rückkehr unerwünscht». Drexel überlebte wider alles Erwarten, schrieb nach seiner Befreiung 1945 unter der Last des Erlittenen einen (auch sprachkünstlerisch) erregenden Bericht über seine Erlebnisse und gab jahrzehntelang die erste Nachkriegszeitung Nürnbergs heraus, die er zu einem großen nordbayerischen Zeitungskonzern ausbaute. Und Ironie des Schicksals: das Verlagsgebäude der «Nürnberger Nachrichten» war früher Sitz der Gauleitung, deren stattliches Haus die Zeitung nach 1945 erworben hatte, und in Dr. Drexels Arbeitszimmer amtierte vorher Julius Streicher höchstpersönlich!

Ein paar Hundert Nürnberger Männer und Frauen waren am organisierten planmäßigen Widerstand aktiv beteiligt – ein paar Hundert in einer Stadt mit über 400 000 Einwohnern. Daß es wesentlich mehr waren, die beim Widerstand der beiden Arbeiterparteien und einzelner bürgerlicher Kreise aktiv mitmachten, ist angesichts des ausgeklügelten und überaus präzis arbeitenden Überwachungs- und Strafverfolgungsapparats des NS-Regimes unwahrscheinlich. Aber diese Rechnung ist unvollständig: nicht übersehen darf man die wesentlich größere Zahl von «Sympathisanten» – Familienangehörige, Gesinnungsfreunde und Bekannte, die trotz Bedrohung und Ächtung treu zu den Verfolgten hielten, die sie beherbergten, versorgten, ihnen Mut machten. In einer Zeit staatlicherseits verordneten und blühenden Denunziantentums war es bereits ein Stück Opposition, ein Stück Sympathie mit dem Widerstand, wenn einer sein Wissen vom illegalen Tun oder von der abweichenden Gesinnung eines Nachbarn, eines Arbeitskameraden für sich behielt.

Daneben gab es zahlreiche Fälle oppositionellen Verhaltens, die jedoch viel schwerer zu fassen und abzugrenzen sind als die Akte organisierten und politisch begründeten Widerstands und seiner Unterstützung. Wenn jemand beharrlich den Hitler-Gruß nicht anwendete: war das Ausdruck einer politischen Opposition oder gedankenloses Festhalten an alten Gruß-Gewohnheiten? Wenn jemand sich um die Aufnahme in eine der zahllosen NS-Organisationen herumzudrücken versuchte: geschah das aus absichtlicher Ablehnung des Regimes oder aus Bequemlichkeit oder aus Geiz, den Mitgliedsbeitrag zu sparen? Wenn jemand eine abfällige politische Äußerung gegenüber einem Nachbarn oder Arbeitskameraden machte, weil der vielleicht gerade in Uniform war, so konnte das aus bewußter Gegnerschaft gegen das Regime oder aus augenblicksbedingter unpolitischer Verärgerung stammen.

Kritische Äußerungen gegen Staat und Partei und ihre Repräsentanten waren nach dem sog. «Heimtückegesetz», der «Verordnung des Reichspräsidenten zur Abwehr heimtückischer Angriffe gegen die Regierung der nationalen Erhebung» vom 21. März 1933 strafbar. Auch für derlei Delikte waren die 1933 geschaffenen Sondergerichte zuständig. Im Dezember 1933 verurteilte das Sondergericht Nürnberg einen kleinen Beamten zu 6 Monaten Gefängnis, weil er nach einer Rede von Hitler sich abfällig über ihn geäußert hatte. [11] Ein Nürnberger Bürger kritisierte 1936 in einem Fabrikbetrieb die geplante Verlegung des Tiergartens, die wegen des Ausbaus des Parteitagsgeländes beschlossen war, und knüpfte daran verächtliche Bemerkungen über den Reichsparteitag und über NS-Funktionäre. Urteil: 5 Monate Gefängnis. Ein aufschlußreiches Urteil fällte im Oktober 1938 das Landesarbeitsgericht Nürnberg-Fürth. Ein Meister war fristlos entlassen worden, weil er, so argumentierte seine Firma, durch anhaltende Verweigerung des Hitler-Grußes sich «außerhalb der Betriebsgemeinschaft gestellt und so Unruhe in den streng nationalsozialistisch eingestellten Betrieb getragen habe». Das Gericht gab der Firma recht: die absichtliche Ablehnung des Hitler-Grußes bedeutet, auch wenn sie aus religiösen Gründen geschieht, «eine Kundgebung gegen den Staat» und eine «Störung des Arbeitsfriedens».[12]

Soweit aktenmäßig noch belegbar, standen zwischen 1933 und 1939 285 Nürnberger Bürger aus politischen Gründen vor dem Sondergericht, davon 48 wegen Besitzes und Verbreitung antifaschistischer Schriften und 221 wegen kritischer Äußerungen gegen das Regime. Schwerere politische Delikte wurden vor dem Obersten Landesgericht in München verhandelt, vor allem die Fälle von «Vorbereitung zum Hochverrat», d. h. von organisierter und geplanter Widerstandtätigkeit. Aus den Jahren 1933–1939 sind – aufgrund der sehr lückenhaften Aktenüberlieferung – die Verurteilungen von mindestens 120 Nürnberger Bürgern durch das Oberste Landesgericht noch nachweisbar. Wieviele andere vor dem berüchtigten «Volksgerichtshof» in Berlin standen (wie z. B. die Hauptbeteiligten des Nürnberger Niekisch-Kreises), läßt sich nicht mehr feststellen.

Der «Kirchenkampf», der nach 1945 – nicht ohne verklärende Tendenzen – stark herausgestellt wurde, hatte in seinen Auswirkungen zweifellos ebenfalls oppositionellen Charakter. Gewollter, planmäßig betriebener Widerstand aber war er nicht. Die Evang.-Lutherische Kirche Bayerns stand dem 1933 an die Macht gekommenen neuen Regime zunächst teils wohlwollend, teils abwartend, jedenfalls nicht oppositionell gegenüber. Weder für die diffamierten Juden noch für die verfolgten Gegner des Nationalsozialismus erhob sie ihre Stimme. Als sie ihre eigene Lehre und Organisation bedroht sah, setzte sie sich allerdings entschieden zur Wehr.

Es war eine aufgezwungene Abwehrhaltung, eine Widersetzung wider Willen. So sahen das vielfach auch die Behörden.

> «Gerade die kirchlich gesinnten evangelischen Kreise, die hinter ihrem Landesbischof stehen, zählten und zählen auch jetzt noch mit zu den treuesten Anhängern des Nationalsozialismus. Es ist ein tragisches Verhängnis, daß gerade sie in dem Konflikt zwischen Reichsbischof und Landeskirche durch den von ihnen freudigst bejahten Staat gekränkt werden müssen.»
>
> *Aus einem Lagebericht der Regierung von Mittel- und Oberfranken vom 9. September 1934*[13]

(Und sehr ähnlich im Lagebericht vier Wochen später.) Auch die Risiken und Folgen für die im Kirchenkampf Aktiven halten keinem Vergleich stand mit den Opfern, die die am politischen Widerstand Beteiligten zu tragen hatten. Neben zahlreichen Vorladungen, Verwarnungen, Unterrichtsbeschränkungen und anderen Eingriffen in die seelsorgerliche Tätigkeit wurden in ganz Bayern 14 Gefängnisstrafen gegen evang. Geistliche und ein einziges Mal KZ-Haft verhängt.[14] Selbst den muti-

> «Die katholische Geistlichkeit hat ihre passive Einstellung gegen den neuen Staat noch nicht geändert.»
>
> *Aus einem Lagebericht der Regierung von Mittel- und Oberfranken für Oktober 1934*[15]

> «In der katholischen Kirche sind größere Auseinandersetzungen unterblieben. Eine staatsbejahende und regierungsfreundlichere Einstellung ist aber auch hier nicht wahrnehmbar.»
>
> *Aus einem Lagebericht der Regierung von Mittel- und Oberfranken für Oktober 1937*[16]

50 *Im Faschingszug des Jahres 1936 fuhr ein Wagen mit, der das Thema «Konzentrationslager» zum Gegenstand von Volksbelustigung und Spott verharmloste. Zum Gaudium der Zuschauer trieben zwei «Polizisten» einen weiteren «Delinquenten» zum Wagen, auf dem maskierte Gestalten die verschiedenen Kategorien von KZ-Insassen verkörperten, darunter «Rassenschänder» und «Stänkerer».*

gen Pfarrern von St. Lorenz, die nach dem Judenpogrom vom 9. November 1938, ohne kirchenamtlichen Auftrag, ein vereinzeltes Zeichen setzten, ist nichts passiert. Häufiger waren in behördlichen

Berichten Klagen über die Haltung der Katholischen Kirche.
Äußerungen oder gar Aktionen zugunsten der angegriffenen Juden oder verfolgter Gegner des Drit-

Geheime Staatspolizei Abaruok.

Polizeiamt Nürnberg-Fürth.
Nürnberg - Fürth.   Nürnberg, den 10.Nov.1936.

Betreff: Schutzhaft.

Schutzhaftbefehl:

Auf Grund § 1 der VO. des Reichspräsidenten zum Schutze von
Volk und Staat vom 28.2.1933 (RGBl.I S.83) und der Min.Entschl. vom
2.5.1934 Nr.2186 a 59 wird mit Wirkung vom **22.11.36**
in Schutzhaft genommen:

Zu- und Vorname: **Munkert Friedrich Georg**

Geburtszeit und -ort: 5.12.88 in Nürnberg

Familienstand und Beruf: verh. Wickler

Staatsangehörigkeit: Dtsch.Reichsang.   Religion ohne

Wohnort und Wohnung: Nürnberg-N, Ziegelsteinstr.99

        Gegen die Verhängung der Schutzhaft steht dem Verhafteten
kein Beschwerderecht zu.

Gründe:

        Munkert war von 1918 bis 1922 Mitglied der USP. 1922-1933
der SPD, 1924 bis 1933 des Reichsbanners. Im August 1933 bezog er
illegale marxistische Zeitungen in mehreren Exemplaren, darunter den
"Neuen Vorwärts" und hat diese weiterverbreitet. Im September 1933
beteiligte er sich an illegalen Treffs, in einem Falle in der Tschechoslowakei, wobei über Zeitungslieferungen dort verhandelt wurde.
Er bezog dann weiterhin illegale Zeitungen und unterhielt Verbindung
mit tschechischen Gewährsleuten der illegalen SPD. Durch Urteil des
Bayer.Oberst.Landesgerichts München vom 11.2.35 wurde er wegen Vorbereitung zum Hochverrat u.a. zu 2 Jahren 6 Monaten Zuchthaus ab
8 Monate Untersuchungshaft und 3 Jahre Ehrverlust verurteilt. Die
Strafe ist am 22.11.36 verbüsst.
        Bei der radikalen Einstellung des Munkert ist mit Be-
stimmtheit damit zu rechnen, dass er im Falle der Freilassung seine
staatsfeindliche Tätigkeit wieder aufnehmen wird. Er bildet somit
eine unmittelbare Gefahr für die öffentliche Sicherheit und Ordnung.

AvS Reg. Nr. M 010
      Dok. 2 Kopie 4

.1.

Konzentrationslager Dachau   Am 16. März 1936
    Kommandantur

Entlassungsschein.

Der Schutzhaftgefangene *Windsheimer Friedrich*

geb. *29.4.09* zu *Nürnberg*

war bis zum heutigen Tage im Konzentrationslager Dachau verwahrt.

Laut Verfügung der Bayer. Polit. Polizei München vom *9.III.36*

wurde die Schutzhaft aufgehoben.

        Lagerkommandant

        SS-Oberführer   **AvS** Reg. Nr. 005
                                          Dok. 2 Kopie 4

---

ten Reiches sind aber auch von der katholischen
Kirche Nürnbergs nicht bekannt.

Die lückenlose Überwachung und terroristische
Verfolgung durch das NS-Regime ließ den politischen Widerstandsbemühungen aus allen Lagern
keinen Spielraum zu breiterer Entfaltung. Allen
Aktivitäten des Widerstands fehlte die Massenbasis in der Bevölkerung. Das Tun und Opfer der Widerstand leistenden Männer und Frauen aber be-
wies, daß es – trotz Reichsparteitage und «Nürnberger Gesetze» und Julius Streicher – auch das
«andere Nürnberg» gegeben hat.

*51/52 Oft wurden politische Gegner nach Verbüßung ih-
rer von Gerichten verhängten Haftstrafen bei ihrer Entlassung am Gefängnis- oder Zuchthaustor erwartet und anschließend sofort in ein Konzentrationslager eingeliefert.
In solchen Fällen konnte auch die Justiz nicht einschreiten
oder helfen.
(Fritz Munkert mußte nach seiner Zuchthausstrafe noch
2½ Jahre im KZ zubringen; 1943 wurde er erneut verhaftet und wegen «Wehrkraftzersetzung» zum Tode verurteilt
und hingerichtet. Auch Friedrich Windsheimer wurde unmittelbar nach Ende einer Haftstrafe wegen Verbreitung
von SPD-Schriften ins KZ Dachau eingeliefert).*

4. Die «Stadt der Reichsparteitage»

«Niemand, der nicht Zeuge der verschiedenen Veranstaltungen während der eine Woche dauernden Versammlung in Nürnberg gewesen oder der dort herrschenden Atmosphäre ausgesetzt worden ist, kann sich rühmen, die Nazi-Bewegung in Deutschland völlig kennengelernt zu haben.»

Sir Nevile Henderson, englischer Botschafter in Berlin 1937–1939[1]

Als einige Monate nach der nationalsozialistischen Machtübernahme der neue Reichskanzler sich im nahen Bayreuth aufhielt, legten ihm dort zwei Abgesandte der Stadtverwaltung Nürnberg Pläne vor für einen Ausbau des «Luitpoldhains» zu einem Aufmarschgelände für künftige Reichsparteitage der NSDAP. Die Stadt und dieser Park waren Hit-

«Grundsätzlich muß sich die Stadt Nürnberg sofort entscheiden, ob sie für die nächsten etwa 100 Jahre den Parteitag mit einigen hunderttausend Teilnehmern alle zwei Jahre in ihrer Stadt haben will, oder ob sie diesen für die Geschäftswelt Nürnbergs außerordentlichen Vorteil daran scheitern läßt, daß sie eine Anzahl von alten Bäumen im Luitpoldhain erhalten will. Die Entscheidung drängt ... Es ist der persönliche Wunsch des Führers, den Luitpoldhain in Nürnberg als ständigen Sitz des Parteitages zu sehen.»

Niederschrift über eine Besprechung mit Hitler am 21. Juli 1933[2]

ler wohlvertraut, denn 1927 und 1929 hatte seine Partei dort schon zweimal Parteitage abgehalten, an die er gern zurückdachte. Er war von den Plänen recht angetan und zeichnete eigenhändig die Maße des Aufmarschplatzes nach seinen Vorstellungen ein.

Bereitwillig ging die Nürnberger Stadtverwaltung auf alle Wünsche und Vorstellungen Hitlers ein, und schon wenige Wochen später, am 31. August 1933, hielt er feierlich Einzug in die Stadt als Auftakt zum ersten Reichsparteitag nach der nationalsozialistischen Machtübernahme. Zur Eröffnung proklamierte er, daß Nürnberg «für alle Zukunft» Schauplatz der Reichsparteitage sein solle.[3] Zunächst war an einen zweijährigen Turnus gedacht. Erst im Mai 1934 entschloß man sich, auch in diesem Jahr – und damit indirekt: künftig jährlich – einen Reichsparteitag abzuhalten. (Der Entschluß zur Abhaltung des Parteitags 1934 stand also nicht, wie später gelegentlich behauptet, im Zusammenhang mit dem «Röhm-Putsch» und der Absicht, danach die Geschlossenheit der Partei besonders sinnfällig zu demonstrieren.)

Ebenfalls schon im Jahr 1933 verlieh Hitler der Stadt Nürnberg die Bezeichnung «Stadt der Reichsparteitage». Ein ministerieller Erlaß vom 7. Juli 1936 brachte diese besondere Gunsterweisung in amtlich-offizielle Form. Von da an hieß Nürnberg bei Behörden, im Schriftverkehr, auf Poststempeln und Ortsschildern «Stadt der Reichsparteitage Nürnberg» – auch noch im Krieg, als schon längst keine Reichsparteitage mehr zu feiern waren. Außerdem gehörte Nürnberg – neben Berlin, München, Hamburg und Linz – zu den fünf «Führerstädten», die gemäß Weisungen von Hitler vorrangig umgestaltet und ausgebaut werden sollten.

53/54 *Nürnberg trug im Dritten Reich offiziell die von Hitler verliehene Bezeichnung «Stadt der Reichsparteitage», nachdem er bereits 1933 die Stadt «für alle Zukunft» zum Schauplatz der jährlichen Parteitage bestimmt hatte. Dieser amtliche Stadt-Name galt im Schriftverkehr, bei Behörden und auf Poststempeln – bis zum bitteren Ende im April 1945.*

55 *Menschengewimmel, Uniformen und Fahnen ohne Zahl bestimmten während der Reichsparteitage das Bild der Stadt.*
In jenen Tagen weilten mehr Teilnehmer in der Stadt als sie Einwohner hatte. Nürnberg war zur Zeit der Parteitage
praktisch Millionenstadt – nach Berlin, Wien und Hamburg die viertgrößte Stadt des Reiches.
Im Bild: Das Alte Rathaus im Fahnenschmuck beim «Parteitag Großdeutschland» 1938.

Im Südosten Nürnbergs, etwa 3 km von der Stadtmitte entfernt, lag ein großer Park, anläßlich der Bayerischen Landesausstellung 1906 angelegt und zu Ehren des seinerzeit in Bayern regierenden Herrschers Luitpoldhain genannt, und eine Ausstellungshalle, die ebenfalls den Namen des Regenten trug. Dieses Gelände wurde zum Ausgangspunkt für eine immer größer werdende Reihe kolossaler Bauten und Aufmarschplätze.

«Ein Gigantenforum ist im Entstehen begriffen. Seine Aufmarschplätze sind die größten der Welt. Mit dem morgigen Tag wird der Grundstein gelegt zum Bau eines Stadions, wie es die Erde noch nicht gesehen hat.»

Hitler bei der Eröffnung des Reichsparteitages 1937[4]

Die ersten Ausbaupläne stammten von Hitlers Architekt Paul Ludwig Troost. Nach dessen Tod entwarf im Herbst 1934 ein wenig bekannter, noch nicht 30jähriger Berliner Architekt namens Albert Speer einen Gesamtplan, von dem Hitler geradezu begeistert war. Die riesenhaft geplante Anlage sollte die Macht des Dritten Reiches, den weit ausgreifenden Herrschaftsanspruch Hitlers und die Geschlossenheit der Nation veranschaulichen. Die Anlage war als wahrhaft überwältigender Rahmen einer gigantischen Selbstdarstellung des nationalsozialistischen Regimes gedacht und sollte der Beeinflussung und Lenkung der Massen dienen – Überwältigungsarchitektur, Lenkungsarchitektur war gefordert. Der neoklassizistische Stil der Reichsparteitagsbauten verkörperte die gleichsam offizielle Staatsarchitektur des Dritten Reiches und drückte die bewußte Ablehnung zeitgenössischer Baustile aus. Speer stellte seine eigene «Theorie vom Ruinenwert» dieser Bauten auf: noch im Verfallszustand nach Tausenden von Jahren sollten sie von der Pracht und Größe des nationalsozialistischen Reiches künden und auch darin gewissen Vorbildern der griechisch-römischen Antike gleichen.

Erlaß
des Führers und Reichskanzlers über städtebauliche Maßnahmen in der Stadt der Reichsparteitage Nürnberg.

Vom 9. April 1938.

Für die Stadt der Reichsparteitage Nürnberg ordne ich die Durchführung der städtebaulichen Maßnahmen an, die zur Anlage und zum Ausbau des Reichsparteitaggeländes, zur Durchführung der Reichsparteitage und zur planvollen Gestaltung der Stadt erforderlich sind.

Ich beauftrage den Leiter des Zweckverbandes Reichsparteitag Nürnberg, die in § 1 Abs.2 und § 3 des Gesetzes über die Neugestaltung deutscher Städte vom 4.Oktober 1937 (Reichsgesetzbl.I S.1054) erwähnten Maßnahmen zu treffen.

Wien, den 9. April 1938

Der Führer und Reichskanzler

Der Reichsminister und Chef der Reichskanzlei

56 *Nürnberg zählte – neben seiner Rolle als «Stadt der Reichsparteitage» – zu den fünf Städten, die gemäß Weisungen von Hitler vorrangig umzugestalten und auszubauen waren. Diese Städte – Berlin, München, Hamburg, Nürnberg und Linz – wurden im amtlich-offiziellen Schriftverkehr gelegentlich auch als «Führerstädte» bezeichnet.*

60

57 *Im Südosten der Stadt setzte eine Bautätigkeit gigantischen Ausmaßes ein, die den Rahmen schaffen sollte für die bedeutendste Selbstdarstellung des Dritten Reiches. Als «Weltwunder der Neuzeit», als «Weihestätten der Nation» rühmten führende Nationalsozialisten die Parteitagsbauten.*
Im Bild: Die im Bau befindliche «Neue Kongreßhalle», ein nach dem Vorbild des Kolosseums in Rom entworfener Riesenbau.

Das Reichsparteitagsgelände war bis Kriegsbeginn die größte Baustelle Deutschlands, vielleicht sogar der Welt. Die gigantische Bautätigkeit war für die Bauwirtschaft, nach der Rüstungsindustrie die größte Wachstumsbranche im Dritten Reich, ein Wirtschaftsfaktor von größtem Umfang. Allein zur Erschließung weiterer Granitvorkommen in Sachsen wären Kosten in Millionenhöhe entstanden, so viele Steine hätte man nur für die Umfassungsmauern eines der geplanten Bauwerke gebraucht. Man hat ausgerechnet, daß allein für die vorgesehenen Bauten in Nürnberg und München die vierfache Jahresproduktion an Granit aus Dänemark, Frankreich, Italien und Schweden benötigt worden wäre.[5] Hitler, der sich zeitlebens für einen verhinderten Künstler und Architekten hielt, schaltete sich unablässig mit Anregungen und Entscheidungen in Grundsatzfragen, aber auch in Detailprobleme direkt ein. Um sich aus erster Hand zu informieren und um persönlich eingreifen zu können, besuchte er häufig die Planungsbüros und Baustellen, manchmal im Abstand nur von wenigen Wochen. So erlebte die Stadt beispielsweise 1935 neun, 1937 fünf Hitler-Besuche – jeweils außerhalb seiner selbstverständlichen Aufenthalte bei den Reichsparteitagen. Die geplante Kolossal-Anlage – 1945 sollte sie fertig sein – hätte eine Fläche von 16,5 qkm bedeckt; in den Bauten und Aufmarsch-Arenen hätten rund 1 Million Menschen gleichzeitig Platz gehabt! Die Baukosten waren auf 700–800 Millionen RM veranschlagt (entsprach 1970 ca. 3 Milliarden DM). Das ständige Ausufern der Wünsche und Vorstellungen Hitlers und seiner Planer für die Gestaltung des Reichsparteitagsgeländes überstieg bald die finanziellen und organisatorischen Kräfte der Stadt Nürnberg bei weitem. So kam es, um die schier unermeßlichen Lasten besser zu verteilen, im März 1935 zur Schaffung des «Zweckverbands Reichsparteitag Nürnberg», einer Körperschaft des öffentlichen Rechts, gebildet aus der NSDAP, dem Reich, dem Land Bayern und der Stadt Nürnberg. Fortan war die Errichtung und laufende Unterhaltung der Reichsparteitagsbauten Aufgabe dieses Zweckverbands, an dessen Spitze der (in seinem eigenen Ressort offensichtlich nicht ausgelastete) «Reichsminister für die kirchlichen Angelegenheiten» Hanns Kerrl, der bayerische Innenminister und Gauleiter Adolf Wagner und der Nürnberger Oberbürgermeister Liebel standen.

Für die Vorbereitung und Durchführung der Parteitage selbst war eine Parteidienststelle der NSDAP, die «Organisationsleitung der Reichsparteitage», zuständig, die sich im Lauf der Zeit zu einem riesigen Apparat entwickelte. Für die An- und Abreise der Hunderttausende Teilnehmer waren jeweils weit über tausend Sonderzüge nötig, die mit generalstabsmäßiger Präzision innerhalb weniger Tage bereitgestellt, abgefertigt und entladen werden mußten. In Fabrikhallen, Gaststätten und Schulhäusern wurden Massenunterkünfte errichtet (die Reichsparteitage fielen stets in die Zeit der Schulferien). Die hochgestellten Vertreter von Staat und Partei und die Ehrengäste waren auf die Hotels verteilt, wobei im Hotel «Deutscher Hof», dem regelmäßigen «Führerquartier», auf Hitlers ausdrückliche Anordnung keine Frauen untergebracht werden durften. Transport, Unterbringung, Verpflegung und gesundheitliche Betreuung der teilnehmenden Massen, Vorbereitung und Ablauf der Riesenveranstaltungen brachten zahllose Organisationsprobleme mit sich, deren Meisterung

58 *Das Reichsparteitagsgelände war bis Kriegsbeginn die größte Baustelle Deutschlands, vielleicht sogar der Welt. Im Bild: Bauarbeiten am Märzfeld, an dem allein 4000, zeitweise sogar 8000 Arbeiter beschäftigt waren. Geplant war ein von 24 Fahnentürmen und von Tribünen für 160 000 Zuschauer umgebenes riesiges Geviert für Schaumanöver der Wehrmacht.*

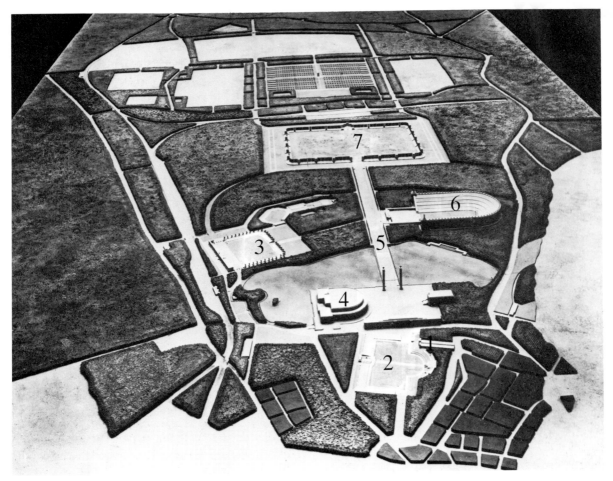

59 *Modell der Gesamtanlage (nach dem Planungsstand von 1938)*

1. *Alte Kongreßhalle: für Parteikongresse provisorisch umgebaute ältere Ausstellungshalle*
   (1945 zerstört)
2. *Luitpoldarena: aus einer Parkanlage umgestaltetes Aufmarschforum, vor allem für Totenehrungen und Fahnenweihen*
   von SA und SS
   (1958/59 in Erholungspark zurückverwandelt; Kriegerehrenhalle erhalten)
3. *Zeppelinfeld: von Tribünen umsäumte Anlage für Aufmärsche des Reichsarbeitsdienstes und der Politischen Leiter;*
   Fassungsvermögen: 250–300000 Menschen
   (großenteils erhalten)
4. *Neue Kongreßhalle: für Parteikongresse mit einem Fassungsvermögen von 50000 Teilnehmern nach Vorbild des Kolos-*
   seums in Rom von Ludwig und Franz Ruff entworfen
   (unvollendet)
5. *Große Straße: geplant als 2 km lange, 80 m breite Prachtstraße zur Verbindung und Erschließung der Gesamtanlage*
   (unvollendet)
6. *Deutsches Stadion: als Riesenarena mit einem Fassungsvermögen von über 400000 Zuschauern für NS-Kampfspiele*
   geplant
   (über Baugrube nicht hinausgekommen – heutiger Silbersee)
7. *Märzfeld: geplant als Gelände für Schaumanöver der Wehrmacht, umgeben von Türmen und Tribünen für 160000*
   Zuschauer
   (unvollendet, 1967 gesprengt)

60 *Hitler beschränkte sich nicht darauf, die Pläne für die Parteitagsbauten mit großem Interesse zu verfolgen, sondern griff unablässig in Planung und Ausführung, selbst bei Detailproblemen, direkt ein.*
Im Bild: Hitler zwischen Minister Kerrl (l.) und Albert Speer (r.), dem Planer der Gesamtanlage, vor dem Modell des «Deutschen Stadions».

sche Pannen, grobe Disziplinverstöße und über den «saumäßigen Zustand» zurückgelassener Quartiere geklagt («... daß die Bezeichnung ‹Schweinestall› noch zu gelinde ist»[6]). «Beobachtete man Uniformierte mit dicken Zigarren im Maul und die Hände im Hosensack, dann waren das leider Politische Leiter.»[7]

> «Das Betragen der Pol. Leiter aus manchen Gauen war geradezu widerlich. Man konnte nachts Pol. Leiter in voller Uniform feststellen, die im besoffenen Zustand mit zweifelhaften Weibern durch die Straßen zogen und sich in der übelsten Art und Weise aufführten. Bei den Gauleitern herrscht nicht genügend Disziplin.»
>
> *Aus einem Bericht der «Organisationsleitung der Reichsparteitage» über Erfahrungen beim Reichsparteitag 1935[7a]*

Finanziert wurden die Parteitage durch die sogenannte «Reichsparteitagsumlage» – die Millionen Mitglieder der Partei hatten einen zusätzlichen Monatsmitgliedsbeitrag zu zahlen – durch Eintrittsgelder und durch den Verkauf von Festabzeichen, den «Parteitagsplaketten».
Die Propaganda des Dritten Reiches stellte naheliegenderweise die Reichsparteitage als die gewichtigsten Selbstdarstellungen des Regimes in Wort, Ton und Bild ganz besonders heraus. An den Lautsprechern konnten Millionen die wesentlichsten Ereignisse «live» verfolgen. Im ganzen Reich erlebten in den Lagern des «Reichsarbeitsdiensts» die «Arbeitsmänner» und «Arbeitsmaiden» beim angeordneten Gemeinschaftsempfang die Feierstunde ihrer Organisation auf dem Nürnberger Reichsparteitag mit. 1937 war erstmals auch das damals noch in seinen Anfängen steckende Fernsehen dabei.
Der propagandistischen Einstimmung der breitesten Öffentlichkeit dienten offizielle Parteitagsplakate, Festpostkarten und Parteitagsplaketten, mit denen das ganze Reich überschwemmt wurde. Aber auch nach der Heimkehr der letzten Teilnehmer und nach dem Abklingen der optischen und akustischen Trunkenheiten lieferten die Reichsparteitage noch lange Stoff für Propaganda und

im In- und Ausland Staunen und Bewundern hervorrief. Hinter dem Anschein perfekter Organisation und disziplinierter Massen sah die Wirklichkeit häufig freilich anders aus – aber wer wollte im Rausch jener Tage schon hinter die glänzende Fassade blicken. In zahlreichen parteiinternen Berichten wurde über organisatori-

61 *Offizieller Beginn jedes Reichsparteitags war die Ankunft Hitlers in der Stadt. Wann und wo er in diesen Tagen auf-
tauchte, kannte der Jubel der Massen keine Grenzen. Zweifellos stärkten die Parteitage, die stets auch große persönliche
Triumphe für ihn waren, sein Sendungsbewußtsein und seine Auffassung von der nahezu unbegrenzten Manipulierbarkeit
seiner Anhänger.*

62 *Die Reichsparteitagsbauten sollten nach Hitlers Vor-
stellung «hineinragen gleich den Domen unserer Vergan-
genheit in die Jahrtausende der Zukunft». Aber die Herr-
lichkeit währte nicht einmal Jahrzehnte.*
*Im Bild: Sprengung der unvollendet gebliebenen März-
feld-Anlage im Jahr 1967, um Platz für neue Wohnbauten
zu gewinnen.*

63 *Standarten-Einzug zur Eröffnung des Parteikongresses in der «Alten Kongreßhalle» beim «Parteitag der Ehre» 1936. Diese Luitpoldhalle, wie sie ursprünglich hieß, war gleich in den ersten Jahren nach der Machtübernahme zu einer behelfsmäßigen Tagungsstätte umgestaltet worden und hatte dabei einen pompösen Vorbau im Stil des Dritten Reiches erhalten. Die dabei eingebaute Orgel war – alles mußte nun gigantisch sein – die größte Europas.*

Massenbeeinflussung. Vor allem das neue Medium Film, das das NS-Regime zielstrebig und geschickt für seine Zwecke einsetzte, lieferte Beachtliches in der Langzeitwirkung der Parteitage. Neben den Wochenschau-Berichten und einigen Propagandafilmen gab es zwei von der jungen Regisseurin Leni Riefenstahl gedrehte Dokumentarfilme über die Reichsparteitage. Beide Filme waren persönliche Aufträge Hitlers an die begabte Künstlerin. «Triumph des Willens», der zweite, bekannter gewordene, war ein technisch und künstlerisch hervorragend gemachter Film, der auch heute noch, trotz des Abstands von nunmehr annähernd 50 Jahren, die suggestive, verführerische Wirkung der Reichsparteitage auf viele damalige Zeitgenossen sinnfällig zu machen vermag. (Leni Riefenstahl drehte später die erfolgreichen Dokumentarfilme über die Olympischen Spiele 1936 und trat auch nach dem Ende des Dritten Reiches, dem sie naiv-bedingungslos diente, als Buchautorin und Filmregisseurin ungescheut an die Öffentlichkeit.)

Die offizielle Bezeichnung «Stadt der Reichsparteitage» erinnerte in Nürnberg das ganze Jahr über an das jeweils im Herbst stattfindende Großereignis. Schon Monate zuvor begannen die Vorbereitungen in der Stadt sichtbar zu werden. Erste Vorboten waren einziehende Einheiten des «Reichsarbeitsdiensts», die dann Flächen für riesige Zeltstädte planierten und in Schulhäusern und anderen Gebäuden Massenquartiere einrichteten. (In dieser staatlichen Organisation mußten ab 1935 alle männlichen Jugendlichen vor Eintritt in das Wehrpflichtalter ½ Jahr Dienst leisten.) In der Presse erschienen Aufrufe an die Bevölkerung, Privatquartiere zur Verfügung zu stellen. Zahlreiche Handwerksbetriebe in der Stadt erhielten Aufträge für die Ausschmückung der Tagungsstätten und Straßen und Plätze. Die Preisüberwachung wurde verschärft. Geschäftsleuten, die die Hochkonjunktur zu Preissteigerungen ausnützen wollten, drohte sofortiger Entzug der Handelserlaubnis und sogar Schutzhaft. Es gab einschneidende Verkehrsbeschränkungen, selbst für Radfahren und das Schieben von Fahrrädern. Die städtischen Verkehrsbetriebe engagierten zum Bewältigen der riesigen Transportleistungen zusätzliche Omnibusse und mehr als tausend Straßenbahnschaffner von auswärtigen Städten (beim Reichsparteitag 1938 waren täglich 1 Million Fahrgäste zu befördern!).

Sichtbarstes Zeichen aber des nahenden Spektakels war der von Jahr zu Jahr sich steigernde Straßenschmuck. Allein die Stadtverwaltung hißte an ihren Gebäuden über tausend große Hakenkreuzfahnen. An Straßenmasten und Häusern Hakenkreuzfahnen ohne Zahl, Fahnentürme, Umkleidungen der Oberleitungsmasten der Straßenbahn, Pylonen und Feuerpfannen, plastische Hoheitsadler und Wappen aller Größen und Gestalten, riesige Transparente und Straßenüberspannungen, Triumphpforten an den Einfallsstraßen der Stadt: auch im Straßenschmuck ein noch nie dagewesener, kaum noch zu steigernder Aufwand. Die drei riesigen Fahnen für die Ehrentribüne der Luitpoldarena waren – wen wundert es? – die «größten Fahnentücher der Welt», wie die Nürnberger Zeitungen stolz vermeldeten.

Immer häufiger hallte durch die Straßen der Marschtritt uniformierter Teilnehmer, die mit Musikkapellen und mitgeführten Fahnen kolonnenweise in ihre Quartiere einrückten. Und dann, nach monatelangen Vorbereitungen und immer augenfälliger werdenden Vorzeichen, begann schließlich Anfang September das große Ereignis. Beim ersten Reichsparteitag nach der Machtübernahme, dem viertägigen «Reichsparteitag des Sieges», hatten Ablauf, Organisation und Schauplätze noch gewisse improvisatorische Züge – die Entscheidung über das Abhalten dieses Parteitags in Nürnberg war erst wenige Wochen zuvor gefallen. Aber ab 1934 verliefen die nunmehr sieben, später acht Tage dauernden Riesenveranstaltungen nach gleichbleibendem Programm mit der Strenge und Starrheit eines Rituals ab.

Offizieller Beginn jedes Reichsparteitags war die Ankunft Hitlers in der Stadt. In einem offenen schwarzen Mercedes stehend, dem mehrere Wagen gleichen Typs mit seiner Begleitung folgten, fuhr er langsam durch die von einer jubelnden Menschenmenge gesäumten Straßen zu seinem Hotel. Einige Stunden später: unter dem Geläut aller Kirchenglocken der Stadt wurde Hitler vor dem Alten Rathaus vom Oberbürgermeister und dem Gauleiter der gastgebenden Stadt empfangen und bei Fanfarenklängen in den historischen Rathaussaal geleitet. Der erste Tag endete mit einer Festaufführung der «Meistersinger von Nürnberg» von Hitlers Lieblingskomponisten Richard Wagner für die Spitzen von Staat und Partei und die reichlich anwesenden ausländischen Diplomaten.

64 *Ab 1934 verliefen die Parteitage alljährlich nach gleichbleibendem Programm. Am Morgen des zweiten Tages nahm Hitler vom Balkon des Hotels «Deutscher Hof», in dem er während seiner Nürnberger Aufenthalte regelmäßig wohnte, den Vorbeimarsch von «Hitler-Jugend»-Fahnen ab, die in einem wochenlangen Sternmarsch aus allen Teilen des Reiches nach Nürnberg getragen worden waren.*

65 Der dritte Tag stand im Zeichen des «Reichsarbeitsdienstes», jener Organisation, die das vormilitärische Zwischenglied zwischen Schule und Wehrdienst bildete. Auf dem Zeppelinfeld führten 50 000 «Arbeitsmänner» eine «Feierstunde» vor mit Fahnenschwingern, Exerzieren, Sprechchören, Glockengeläut. Es war schon ein eindrucksvolles Bild, wenn auf ein Kommando hin Zehntausende blitzende Spaten zum Präsentiergriff erhoben wurden – eine silberne Wellenbewegung lief da durch das riesige Aufmarschfeld.

66 Am Nachmittag des dritten Tages zog der «Reichsarbeitsdienst» in militärischer Disziplin, mit geschulterten Spaten und Gesang und Marschmusik durch die Stadt. Die Reichsparteitage illustrierten fast stündlich die Feststellung von Alfred Rosenberg, dem «Chefideologen» der NSDAP: «Die deutsche Nation ist eben drauf und dran, endlich einmal ihren Lebensstil zu finden. Es ist der Stil einer marschierenden Kolonne, ganz gleich, wo und zu welchem Zweck diese marschierende Kolonne auch eingesetzt sein mag».

Am Morgen des zweiten Tages nahm Hitler vom Balkon seines Hotels den Vorbeimarsch von «Hitler-Jugend»-Fahnen ab. Aus allen Teilen des Reiches waren diese Fahnen in einem wochenlangen Sternmarsch nach Nürnberg getragen worden. Am späten Vormittag betrat Hitler unter dem Geschmetter von Fanfaren und dem Badenweiler-Marsch (er wurde stets beim Auftreten Hitlers gespielt) und unter tosenden «Heil»-Rufen der Zehntausende die vollbesetzte Luitpoldhalle. Dann: Einzug der «Blutfahne», der beim mißglückten Putsch im November 1923 mitgeführten Fahne, und von Hunderten von Standarten – Eröffnung des Kongresses durch Rudolf Heß, den «Stellvertreter des Führers» – Totenehrung – Verlesung der «Proklamation des Führers». Am Abend: «Kulturtagung» im Opernhaus, mit einer Grundsatzrede Hitlers zu Weltanschauungs- und Kulturfragen und mit der Verleihung des «Deutschen Nationalpreises für Kunst und Wissenschaft», des höchsten Kulturpreises des NS-Regimes. (Als Antwort auf die Verleihung des Friedens-Nobelpreises 1936 an den vom NS-Regime inhaftierten Publizisten und Pazifisten Carl von Ossietzky hatte Hitler den «Nationalpreis» stiften und gleichzeitig die Annahme des Nobelpreises durch einen Deutschen fortan verbieten lassen.)

Der dritte Tag stand im Zeichen des «Reichsarbeitsdienstes». Angeblich sollten in dieser «Schule der Nation» die Angehörigen aller Schichten und Stände durch gemeinsame körperliche Arbeit zur nationalsozialistischen «Volksgemeinschaft» zusammenwachsen; in Wahrheit handelte es sich um das vormilitärische Zwischenglied zwischen Schule und Wehrdienst. Am Vormittag marschierten 50000 «Arbeitsmänner» in militärischer Disziplin vor Hitler im Zeppelinfeld auf und zelebrierten eine «Feierstunde». Am Nachmittag zog der «Arbeitsdienst» dann mit geschulterten Spaten, mit Gesang und Marschmusik durch die Stadt und dort nochmals an Hitler vorbei.

Am vierten Tag dominierten ausnahmsweise nicht Uniformen, Marschmusik und militärischer Drill, sondern weiße Sportkleidung, beschwingte Musik und sportlich-tänzerische Grazie. Tausende junger Männer und Frauen zeigten am sog. «Tag der Gemeinschaft» gymnastische Schauübungen und alte Volkstänze. Beschlossen wurde der Tag durch einen großen Fackelzug der «Politischen Leiter», der Funktionäre der NSDAP, durch die nachtdunkle Stadt und an Hitler vorbei.

Höhepunkt des fünften Tages, an dem wie an den anderen Tagen eine Reihe von Sondertagungen mit Appellen und Referaten stattfanden, war die nächtliche «Weihestunde» der «Politischen Leiter» auf dem Zeppelinfeld. Die Veranstalter vollbrachten hier mittels einer raffinierten Lichtregie ihre unübertroffene Meisterleistung in Massenbetörung und Massenüberwältigung. Diese Lichtregie reichte von gewaltigen offenen Feuern über Scheinwerferlicht-Effekte aller Art bis zu dem berühmt gewordenen «Lichtdom»: in dem Augenblick, in dem Hitler die Arena betrat, wo über 100000 einheitlich uniformierte Funktionäre und über 30000 rote Hakenkreuzfahnen versammelt waren, schossen plötzlich die scharfumrissenen Lichtsäulen von 130 rings um die Arena aufgestellten Flak-Scheinwerfern in den nachtschwarzen Himmel und vereinigten sich in etwa 8000 m Höhe zu einer riesigen Strahlenkuppel.

67 *Die Veranstaltungen am vierten Tag, am sog. «Tag der Gemeinschaft», sollten der staatlich verordneten Heiterkeit und Kraft und Lebensfreude Ausdruck verleihen. Im Mittelpunkt dieses Tages standen gymnastische und tänzerische Vorführungen und die «NS-Kampfspiele» auf dem Zeppelinfeld.*

68 *Höhepunkt des fünften Tages war die nächtliche «Weihestunde» des Funktionär-Korps der NSDAP auf dem Zeppelinfeld. In dem Augenblick, in dem Hitler die Arena betrat, wo über 100 000 uniformierte «Politische Leiter» und 30 000 rote Hakenkreuzfahnen versammelt waren, schossen plötzlich die scharfumrissenen Lichtsäulen von zahlreichen um die Arena aufgestellten Scheinwerfern in den nachtschwarzen Himmel und vereinigten sich in großer Höhe zu einer riesigen Strahlenkuppel. Mit diesem «Lichtdom» vollbrachten die Parteitags-Regisseure ihre Meisterleistung in Massenbetörung und Massenüberwältigung.*

69 Den sechsten Tag der Reichsparteitage bestimmte die Staats- und Parteijugend des Dritten Reiches, die «Hilter-Jugend».
Auch bei ihren Veranstaltungen ging es um bedingungsloses Einordnen und Aufgehen des Einzelnen in einer gleichgerichte-
ten Masse, um totalen Gleichklang, um Auslöschung jedes Einzelwillens. Gleichzeitig sollten sie als «große Heerschau der
vom Nationalsozialismus eroberten deutschen Nation» (Hitler 1937) wirken.

70 Das Luftschiff «Graf Zeppelin» beim Überfliegen der
zum großen Appell vor ihrem «Führer» versammelten
«Hitler-Jugend» beim «Parteitag des Sieges» 1933.

Die nahezu 250 000 Teilnehmer dieses Schau-Spiels waren fasziniert und überwältigt.

Am sechsten Tag fand der große Appell der «Hitler-Jugend» statt. 50 000 uniformierte Jungen und Mädchen bereiteten Hitler einen begeisterten Empfang. Fanfarenrufe und Landsknechtstrommel-Rhythmen, Einzug von Hunderten von «Hitlerjugend»- und «Jungvolk»-Fahnen, gemeinsam gesungene Bekenntnislieder, eine Ansprache Hitlers, die Vereidigung der achtzehnjährigen Parteianwärter und schließlich die Besichtigung der angetretenen Staatsjugend durch ihren obersten «Führer» gehörten zum Zeremoniell.

Der siebte Tag brachte den Höhepunkt des Reichsparteitages, den Tag des «Braunen Heeres». Am Vormittag waren in der Luitpoldarena über 100 000 Mann SA und SS in streng geordneten Marschblöcken, unterteilt durch Felder von unzähligen Sturmfahnen und Standarten, zu Totenehrung und Fahnenweihe angetreten. Am Nachmittag folgte dann der große Vorbeimarsch vor Hitler, unter dem Jubel von Hunderttausenden von Zuschauern, die dichtgedrängt und großenteils stundenlang ausharrend die Marschstrecke in der Innenstadt säumten.

Der letzte Tag schließlich demonstrierte militärische Kraft und Machtentfaltung. Am «Tag der Wehrmacht» veranstalteten Heer, Luftwaffe und Marine auf der Zeppelinwiese im Beisein von abermals mindestens 100 000 Zuschauern Exerzieren, Gefechtsübungen und eine Parade vor Hitler. Dabei wurden die jeweils modernsten Waffen vorgeführt; die hochgradige Motorisierung der eingesetzten Verbände beeindruckte vor allem die ausländischen Beobachter. Mit einer großen programmatischen Schlußansprache Hitlers vor den Parteifunktionären in der (alten) Kongreßhalle und mit einem mitternächtlichen «Großen Zapfenstreich» vor seinem Hotel endete regelmäßig «Nürnbergs und des Reiches stolzeste Woche»[10].

71 *Mit raffinierter Berechnung waren auch religiös-kultische Elemente eingefügt. Eine große Rolle spielte jedesmal die «Blutfahne», eine Hakenkreuzfahne, die angeblich beim «Marsch zur Feldherrnhalle», beim gescheiterten Staatsstreichversuch am 9. November 1923 in München mit dem Blut ihres dabei gefallenen Trägers getränkt worden war. Durch Berühren mit dem Tuch der «Blutfahne» weihte Hitler neue Parteifahnen und -standarten. Im Bild: Einzug der «Blutfahne» in Nürnberg beim «Parteitag der Arbeit» 1937.*

Neben ihrer politischen Bedeutung waren die Reichsparteitage auch ein Wirtschaftsfaktor allerersten Ranges. Die Hunderttausende von Teilnehmern verhalfen alljährlich den Gastronomen, Andenkenhändlern, Metzgern, Bäckern, Friseuren, Lebkuchenverkäufern, Inhabern von Fotogeschäften, Kinobesitzern und vielen anderen Gewerbetreibenden zu glänzenden Geschäften und von Jahr zu Jahr steigenden Umsätzen. Reichsparteitage waren goldene Zeiten für viele Geschäftsleute. «Der Reichsparteitag beeinflußt das Leben dieser Stadt grundlegend: im Materiellen wie im Ideellen», stellte eine einheimische Zeitung nach dem Reichsparteitag 1936 fest.[11]

Nicht nur die eigentlichen Reichsparteitagsbauten, sondern auch vieles von dem, was in jener Zeit in Nürnberg sonst noch gebaut wurde, stand mit den Parteitagen in Zusammenhang. Die erfolgreichen Bemühungen, die historische Altstadt zu verschönern – die Verbreiterung der Ringstraßen für die großen Aufmärsche und der üppige Ausbau des Straßennetzes im Süden und Osten – der Ausbau der Strom- und Wasserversorgung, um die Großbaustellen im Parteitagsgelände und die Massenquartiere zusätzlich versorgen zu können – der Um- und Neubau von Vorortbahnhöfen, Hotelbauten in der Stadt, die Anlage der ersten Unterpflasterstrecke für eine Straßenbahn in Deutschland: das und anderes belebte die heimische Konjunktur und rechtfertigte die Bezeichnung «Stadt der Reichsparteitage» auch in wirtschaftlicher Hinsicht.

72 Der siebte Tag stand im Zeichen von SA und SS. Am Vormittag waren 100000 Mann zu Totenehrung und Fahnenweihe in der Luitpoldarena angetreten, die zwischen 1933 und 1937 aus einer Parkanlage zu einem riesigen Aufmarschforum umgestaltet worden war.
Im Bild: Hitler, flankiert vom «Reichsführer SS» und vom «Stabschef der SA», bei der Totenehrung – vor dem Kranz im Vordergrund die «Blutfahne».

73 Der große Vorbeimarsch vor Hitler am Nachmittag des siebten Tages war einer der Höhepunkte jedes Reichsparteitags. In exakt ausgerichteten Zwölferreihen und unter pausenlos schmetternder Marschmusik paradierten die SA- und SS-Kolonnen Stunde um Stunde an Hitler vorbei, der hochaufgerichtet und grüßend im offenen Wagen auf dem historischen, seit 1933 seinen Namen tragenden Hauptmarkt stand. Das Bild hat Seltenheitswert: der hinter Hitler stehende «Stabschef der SA» Ernst Röhm konnte nach der Machtübernahme nur noch am Parteitag 1933 teilnehmen. Einige Monate später ließ Hitler seinen Duzfreund und Vertrauten zusammen mit zahlreichen hohen SA-Führern, angeblich einem Putschversuch der SA zuvorkommend, ermorden.

74 *Der «Tag der Wehrmacht» bildete den Abschluß der Reichsparteitage. An diesem Tag sollte die militärische Kraft und Stärke des nationalsozialistischen Regimes der staunenden Umwelt vorgeführt werden. Heer und Luftwaffe veranstalteten im Beisein von mindestens 100 000 Zuschauern Exerzierübungen, Schaumanöver und eine Parade vor Hitler.*
Im Bild: Flugzeugabwehrübungen auf dem Zeppelinfeld.

Als gewichtigste Selbstdarstellungen des NS-Regimes wirkten die Reichsparteitage weit über den Tag hinaus und hatten eine nachhaltige Bedeutung in der Geschichte des Dritten Reiches. Sie waren persönliche Triumphe Hitlers von beispielloser Intensität. Wer es erlebt hat, wird es schwerlich vergessen: Lange bevor die Teilnehmer einer Versammlung oder die (oft stundenlang) Wartenden am Straßenrand ihn zu Gesicht bekamen, verkündeten aus weiter Ferne langsam anschwellende Wellen von Jubelschreien und Heil-Rufen sein allmähliches Näherkommen. Wann und wo immer er auftrat, kannte der Jubel der Massen keine Grenzen. Die Paladine seiner engsten Umgebung wetteiferten mit Bekundungen der Gefolgschaftstreue und Ergebenheit.

«Wir haben Ihnen bedingungslos gehört in der Zeit des Kampfes, wir gehören Ihnen ebenso in der Zeit des Sieges und wir werden Ihnen gehören, wenn es sein muß, auch im Tode», so der Stabschef Viktor Lutze beim großen SA-Appell 1935.[12] «Ihnen, mein Führer, dankt ein Kulturvolk von weit über 70 Millionen Seelen seine Freiheit, seine Größe und sein Glück», so Hitlers Stellvertreter Rudolf Heß bei der Parteitagseröffnung 1938.[13]

Die Reichsparteitage sollten die unangefochtene und unumschränkte Führungsrolle Hitlers und die Einheit von Führer und Gefolgschaft vorführen. Zweifellos stärkten sie auch Hitlers eigenes Sendungsbewußtsein und seine Auffassung von der nahezu unbegrenzten Manipulierbarkeit seiner Anhänger. Alle Großveranstaltungen der Reichsparteitage waren darauf angelegt, jedem einzelnen Teilnehmer das Erlebnis seines Aufgehens in der Gemeinschaft zu vermitteln. Ob bei Aufmärschen, Versammlungen, Feierstunden, Vorführungen: stets traten Massen auf, nicht Tausende, sondern Zehn- ja Hunderttausende, uniformiert, diszipliniert, exakt ausgerichtet. Für Spontaneität, für Aktivität von Gruppen oder gar Einzelnen war kein Raum auf den Reichsparteitagen. Beabsichtigt waren bedingungsloses Einordnen, totaler

75 Die hochgradige Motorisierung der beim «Tag der Wehrmacht» eingesetzten Verbände und die vorgeführten modernen Waffen sollten vor allem die ausländischen Beobachter beeindrucken und einschüchtern.
In Bild: Paradeaufstellung der Wehrmacht auf dem Zeppelinfeld beim «Parteitag der Ehre» 1936.

76 Blick von der Fleischbrücke (im Vordergrund) über den westlichen Teil des Hauptmarkts – von 1933 bis 1945 «Adolf-Hitler-Platz» – zum Chor der St. Sebalduskirche. Diesen Weg nahmen auch die SA- und SS-Kolonnen, wenn sie beim Reichsparteitag stundenlang an Hitler vorbeizogen. Bei diesen Vorbeimärschen stand Hitler im offenen Wagen gegenüber den Häusern in Bildmitte (mit den dicht nebeneinander hängenden Hakenkreuzfahnen). ▷

Reichs-Parteitag! General-

In unabsehbaren, dichtgeschlossenen Reihen marschieren am Parteitag die „Politischen Soldaten" des Dritten Reiches an ihrem Führer vorbei! Im Bilde die Männer des Reichsarbeitsdienstes, ihre „Waffe", den Spaten geschultert.

Der Führer, gefolgt von der Blutfahne, weiht die neuen Standarten der angetretenen Formationen. Die Berührung mit der Blutfahne weiht die jungen Heerzeichen zu Heiligkeit und Symbol!

National-spanischer Besuch im Lager der Hitler-Jugend beim Parteitag. Spanische Falangisten, die mit ihren deutschen Kameraden, wie wir sehen, gute Freundschaft geschlossen haben. Ihnen werden die wundervollen Tage unvergeßlich bleiben!

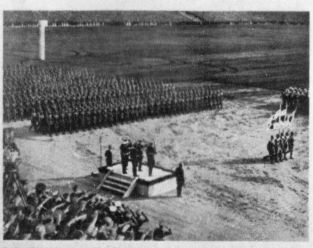

In schneidigem Parademarsch defiliert die Wehrmacht vor Führer und Generalität. Deutschland liebt seine herrlichen Truppen. Sie sind ihm bewaffnete Garanten des Friedens!

Für uns Nationa-
Tage das schönste

Ich bin so glücklich, wen

alten Kämpfer wieder

das Gefühl, daß der Me

schenkt ist, sich sehnen so

Leben gestaltet hat! Wa

ohne Euch! --

ppell des Deutschen Volkes

Immer wieder sieht die alte Dürerstadt alljährlich am Parteitag das gleiche machtvolle Bild! Die Straßen und Gassen hallen wieder vom Marschtritt der hunderttausende!

Auch für Heer und Marine bedeutet der Tag von Nürnberg stets ihren höchsten Ehrentag, wo sie vor Führer und Volk ihr Können und ihre soldatischen Fähigkeiten unter Beweis stellen können! Im Bilde eine Flakbatterie in Feuerstellung.

**ialisten sind diese
des ganzen Jahres!**

jedes Jahr einmal meine
ir sehe! Ich habe immer
olange ihm das Leben ge-
h denen, mit denen er sein
er würde mein Leben sein

Adolf Hitler an seine Alte Garde
am Parteitag der Arbeit, 1937

Adolf Hitler, der „Erste Arbeiter" der deutschen Nation, begrüßt die Kameraden von den Arbeitsstellen der Reichs-Autostraßen. Sie waren die fleißigen Gestalter einer machtvollen Idee!

Einen bevorzugten Ehrenplatz nehmen stets die Kriegsopfer ein. Sie sind persönliche Gäste ihres Frontkameraden Adolf Hitler und werden in dessen Auftrag von schmucken B.d.M.

Gleichklang, Auslöschung jedes Einzelwillens. Die Geschlossenheit der Nation sollte innerlich erfahren und nach außen vorgeführt werden. Zur Bildung dessen, was die Nationalsozialisten unter «Volksgemeinschaft» verstanden, haben die Reichsparteitage gewiß nicht wenig beigetragen – der berauschenden, uniformierenden Wirkung jener Tage waren nicht nur die Hunderttausende unmittelbarer Teilnehmer ausgesetzt, sondern infolge eines raffinierten Medieneinsatzes Millionen weiterer Zuhörer und Zuschauer. Diese glänzend inszenierten Demonstrationen zogen, zumindest vorübergehend, auch viele Skeptiker in ihren magischen Bann und hinterließen auch im Ausland, wie viele Berichte bestätigen, nachhaltige Wirkung. Vor allem ab 1937 kam immer massiver die Vorführung der militärischen Stärke des Regimes hinzu. Darauf gestützt, wurden in den programmatischen Reden der Parteitage die Forderungen deutlicher, die Untertöne drohender. Im internen Kreis äußerte Hitler in einem aufgezeichneten «Tischgespräch» in seinem Hauptquartier am 6. Juli 1942 ganz unverhüllt, daß die Parteitage «in mancher Hinsicht wert-

volle Vorbereitungsarbeit für den Krieg geleistet» und der Eisenbahn «nicht zu unterschätzende Erfahrungen auf dem Gebiet des Kriegstransportes» vermittelt hätten.[14]

Im Sommer 1939 war es wieder einmal so weit: die Vorbereitungen zum Reichsparteitag liefen auf Hochtouren. Tausende waren schon auf dem Weg zum «Parteitag des Friedens», wie der Reichsparteitag 1939 offiziell heißen sollte. Am 2. September sollte er beginnen – am 27. August wurde er wegen der außenpolitischen Krisensituation «vorerst» abgesagt – am 1. September 1939 begann der Zweite Weltkrieg mit dem Überfall Polens durch Hitlers Armeen. Hitlers Proklamation zur Eröffnung des Reichsparteitags 1937 hatte mit den Worten geendet: «Es ist wieder schön, ein Deutscher zu sein, und ein Glück, in Deutschland zu leben!»[15] Die Zuhörer an jenem 7. September 1937 hatten diese Worte mit Jubel und Begeisterung quittiert. Bereits fünf, sechs Jahre später hatten viele der seinerzeit Jubelnden ihr Leben auf den Schlachtfeldern und in den Bombennächten des Zweiten Weltkrieges verloren.

◁ 77 *Diese Wandzeitung aus dem Jahr 1938 gab Aufschluß darüber, wie das NS-Regime die Reichsparteitage verstanden wissen wollte. In vertraulichem Kreis äußerte der oberste Organisator der Reichsparteitage einmal, jeder Parteitag müsse noch größer und schöner als der vorangegangene werden und «derartig Hohes und Schönes» dem deutschen Volk bieten, daß es allmählich «von selbst aus den Kirchen wegbleibe»[16].*

5. Streicher, «Stürmer», «Nürnberger Gesetze» Antisemitismus und Judenverfolgung

Als die Nationalsozialisten die Macht übernahmen, lebten in Nürnberg 8266 Juden. Als sich anfangs 1945 die Macht der Nationalsozialisten dem Ende zuneigte, waren noch einige Dutzend Juden übriggeblieben, die in Mischehen lebten. Dazwischen lag eine Leidenszeit voller Demütigungen, Schikanen, Entrechtungen, seelischen und körperlichen Grausamkeiten – ein Leidensweg größtenteils im vollen Licht der Öffentlichkeit.

Obwohl die Juden schon lange vor dem Dritten Reich bei nicht wenigen deutschen Mitbürgern eine gegen sie gerichtete gehässige Einstellung erlebt hatten und die hemmungslose antisemitische Propaganda der NSDAP kennen mußten, glaubten viele von ihnen zunächst noch, daß der neue «nationale» Staat auch die Rechte und die Ehre seiner jüdischen Bürger achten werde.

«Lassen wir uns ... durch keine widrigen Erfahrungen des Alltags entmutigen oder verbittern und unser Heimatgefühl nicht erschüttern»[1] «Mehr denn je verlangt ... unsere schicksalsgegebene Gemeinschaft von ihren Gliedern starkes Verantwortungsbewußtsein im Privat- wie auch im Berufsleben. Die gesamte Lebensführung sei gekennzeichnet durch Zurückhaltung, bescheidenes und taktvolles Auftreten, treue Pflichterfüllung und Würde.»[2]

Aus Kommentaren des «Nürnberg–Fürther Israelitischen Gemeindeblatts» im Frühjahr 1933

Aber schon in den ersten Monaten nach der Machtübernahme zeigte sich in aller Deutlichkeit, daß es die Nationalsozialisten nicht bei ihrer seit Jahren betriebenen Judenhetze in Wort und Schrift beließen. Am 31. März 1933 fand auf dem Hauptmarkt eine Massenkundgebung statt, an der SA, SS, Frontkämpfer-, Sport- und Jugendorganisationen teilnahmen. Sie stand unter den Parolen: Boykottiert alle jüdischen Geschäfte – Kauft nicht in jüdischen Warenhäusern – Geht nicht zu jüdischen Rechtsanwälten – Meidet jüdische Ärzte – Die Juden sind unser Unglück. Anderntags waren uniformierte SA- und SS-Männer mit entsprechenden Plakaten vor jüdischen Geschäften postiert. Neugierige standen in Massen dabei und genossen dieses damals noch neue Schauspiel. Welcher Infamie die Nürnberger SA-Führung schon damals fähig war, enthüllte sich, als sie nach dem Ende des Boykotts die Israelitische Kultusgemeinde aufforderte, die Verpflegungskosten für die SA-Posten zu bezahlen.

In Teilen der Geschäftswelt begann ein widerwärtiges Konjunkturrittertum zu blühen. Bekannte Nürnberger Firmen, vor allem aus der Textilbranche, beeilten sich in Zeitungsanzeigen zu versichern: wir sind ein «deutsch-christliches Fachgeschäft», das «größte rein arische Fachgeschäft», unser Geschäft ist «deutsch-christlich-nationaler Natur». Zwei führende, miteinander konkurrierende Damenmodengeschäfte wiesen beide in Zeitungsanzeigen auf «arisches Geld, arisches Verkaufspersonal, arischen Inhaber, arischen Geschäftsführer» hin[3] («arisch» bedeutete im damaligen Sprachgebrauch: nicht-jüdisch). Als «vornehm» geltende Vereine, wie der «Tanz-Turnier-Club Rot-Weiß» oder der Verein «Freunde der Al-

„Die Judenfrage geht einer wunderbaren Lösung entgegen!"

Der Frankenführer bei der Fahnenweihe der Ortsgruppe Wöhrd

Am Mittwoch fand im Stadtparksaale die | Juden als Satansvolk bezeichnete. Daß es in | übernimmt, ist die, denen zu gehorchen, die als
Weihe der Fahne der Ortsgruppe Wöhrd | der Judenfrage keine Aufgabe der letzten Ziele | Führer bestimmt sind. Die Parteigenossen

78 *Im Herbst 1933 rief der «Frankenführer» Julius Streicher in einer öffentlichen Ansprache diese prophetischen, aus der Rückschau geradezu gespenstisch wirkenden Worte aus. Zu dieser Zeit lebten in Nürnberg noch annähernd 7500 Juden. Als sich anfangs 1945 die Macht der Nationalsozialisten dem Ende zuneigte, waren noch einige Dutzend Juden übriggeblieben.*

ten Oberrealschule», beschlossen schon im Frühjahr 1933 den Ausschluß von Mitgliedern «nichtarischer Abstammung».[4]

Selbstverständlich wollte auch die neue nationalsozialistische Stadtverwaltung ein «Zeichen» setzen. Schon vor dem Erlaß des scheinheilig «zur Wiederherstellung des Berufsbeamtentums» genannten Gesetzes begann man, Juden aus dem Dienst der Stadtverwaltung zu entfernen. Darunter befand sich auch der hochangesehene Stadtschularzt Dr. Mainzer, der in den zwanziger Jahren auf eigene Kosten einen Sonderkindergarten für psychisch geschädigte Kinder in Nürnberg errichtet hatte (bei Beginn der Deportationen anfangs der vierziger Jahre nahm er sich selbst das Leben). Aber Verdienste zählten plötzlich nicht mehr; über den Wert eines Menschen entschied seine rassische Abstammung. Im Sommer 1933 verfügte die Stadtverwaltung, daß Juden der Besuch städtischer Schwimmbäder verboten wurde. Ebenfalls bereits 1933 wurden einige prominente Nürnberger Juden, als Gegner Streichers bekannt oder denunziert, in das Konzentrationslager Dachau eingeliefert und dort schwer mißhandelt.

> «Wir leben in einer Zeit, die die Judenfrage einer wunderbaren Lösung entgegenführt … Daß es in der Judenfrage keine Aufgabe der letzten Ziele gibt, ist klar.»
>
> *Gauleiter Streicher in einer öffentlichen Ansprache im Nürnberger Stadtteil Wöhrd am 4. Oktober 1933*[5]

Einen wirkungsvollen Beitrag zur wachsenden Klimavergiftung leistete auch die neue, von Streicher gegründete «Fränkische Tageszeitung», die schon bald nach ihrem Start am 1. Juni 1933 Zehntausende Abonnenten fand. In übelster «Stürmer»-Manier wurden selbst zwischenmenschliche Beziehungen und Gefühle der Pietät in den Schmutz gezogen. Daß Angestellte eines Nürnberger Schuhgeschäfts dem jüdischen Inhaber anläßlich seiner Auswanderung ein Abschiedsgeschenk machten, nannte diese Zeitung eine «verabscheuungswürdige Handlung».[6] Nürnberger Frauen, die einen

84

79/80 *Julius Streicher (1895–1946) befand sich seit Frühjahr 1933 auf dem Höhepunkt seiner Macht. Seine schon seit den zwanziger Jahren sattsam bekannten judenfeindlichen Hetzereien hatten nun neues Gewicht bekommen. Es handelte sich jetzt nicht mehr um die Haßkomplexe irgendeines lokalen Parteiführers, sondern hier agitierte der in Franken maßgebliche Repräsentant des NS-Regimes, der zudem die persönliche Freundschaft und ausdrückliche Zustimmung Hitlers genoß. (1946 starb er in der Stadt seines unseligen Wirkens am Galgen).*

Julius Streichers Parole für das Jahr 1937:

Die Menschheit wird erst dann zu Glück u. Frieden kommen, wenn der Teufel niedergerungen ist. Dieser Teufel ist der __Jud!__

Streicher

31. 12. 36

81 *Die von Streicher seit 1923 herausgegebene Wochenzeitung «Der Stürmer» erreichte nach 1933 wachsende
Verbreitung und schließlich eine riesige Breitenwirkung.
Die Auflage stieg innerhalb weniger Jahre auf nahezu
700 000 Exemplare. Unter den «Stürmer»-Beziehern be-
fanden sich gewiß auch viele «Furchtabonnenten»: Gast-
wirte, Friseure, Unternehmer, die den «Stürmer» bezogen, um Ruhe vor Schikanen der Partei zu haben.
Im Bild: «Stürmer»-Verkäufer.*

jüdischen Arzt bei seiner Beerdigung durch Blu-
mengruß und freundliche Worte ehrten, wurden na-
mentlich angeprangert.[7] Zum Vorhaben eines Ki-
nobesitzers, eine Halbjüdin zu heiraten (als «Juden-
bastard» tituliert), meinte die Zeitung drohend:
«Tut er dies, dann stellt er sich damit außerhalb der
deutschen Volksgemeinschaft und hat die daraus
sich ergebenden Folgen zu verantworten.»[8]
In der längst gleichgeschalteten Nürnberger Presse
fand im März 1934 eine aufsehenerregende Zei-
tungsfehde statt. Auslöser war die in der Stadt
Streichers besonders brisante «Judenfrage». Die
traditionsreiche Zeitung des national-gesinnten
Bürgertums, der «Fränkische Kurier», hatte in einer kurzen Notiz über den Tod einer 86jährigen

ehemaligen Nürnbergerin erwähnt, daß sie Ehren-
bürgerin und Wohltäterin einer fränkischen Gemeinde gewesen sei (was die Zeitung dabei uner-
wähnt gelassen hatte: die Verstorbene war Jüdin
gewesen!). Daraufhin bezeichnete die neue nationalsozialistische «Fränkische Tageszeitung» diese
schlichte Notiz als «widerliches Geschmus» und
«Ausschleimen» über eine Jüdin und sprach dem
Konkurrenzblatt rundweg das Recht ab, sich «national» und «deutsch» zu nennen. Die «bürgerliche» Zeitung setzte sich zur Wehr, erinnerte an ihren Kampf gegen Demokratie, Parlamentarismus
und Marxismus während der Weimarer Republik
und forderte «saubere Waffen im Kampfe für das
nationalsozialistische Deutschland».[9] Aber nun
schlug die NS-Zeitung erst recht zurück. In einem
großaufgemachten Sonderblatt und, als der «Kurier» zu erwidern wagte, in einem zweiten einige
Tage später setzte die «Tageszeitung» ihre Ehrab-
schneiderei gegen die «nationale» Konkurrenz
fort. Da spielten Inserate jüdischer Firmen eine
Rolle, da wurde dem «Kurier» der Vorwurf von
Gesinnungslosigkeit, Unanständigkeit und «Ras-
severrat» um die Ohren gehauen und in dicken
Lettern vorhergesagt: «Der ‹Fränkische Kurier›
wird an seiner Charakterlosigkeit zu Grunde
gehen!»[10] «Zugrundegegangen» ist diese Zeitung
zwar erst in der Schlußphase des Zweiten Welt-
kriegs, als die meisten Blätter ihr Erscheinen ein-
stellen mußten. Aber der vom «Kurier» mit einem
Rest von Anstand und Menschlichkeit geführte, zu
dieser Zeit wohl einzigartige Zeitungskrieg hat sich
für ihn nicht ausgezahlt: in den folgenden Jahren
sank seine Auflage ständig, während die Auflage
der unflätigen «Tageszeitung» steil nach oben klet-
terte.

Das Klima, in dem alle diese und die noch folgenden Diffamierungen und Entrechtungen der Juden
gediehen, wurde von dem Nürnberger Gauleiter
Julius Streicher wie nirgendwo sonst im Deutschen
Reich angeheizt und heiß gehalten. Obwohl ohne
staatliche Ämter, übten er und sein unmittelbarer
Anhang auf Behörden, Justiz und Wirtschafts-
kreise einen geradezu terroristischen Druck und
Einfluß aus. Im Zentrum von Streichers Wirken
stand sein Kampf gegen den «Weltfeind All-Juda».
Ob er in der Großstadt oder auf dem Lande sprach,
ob er sich an Arbeiter oder Akademiker oder Kinder wandte (er war ein unermüdlicher Redner):

Kleine Nachrichten
Was das Volk nicht verstehen kann

Die Firma Norbert Langer & Söhne, Deutsch-Liebau (Sudetengau) beschäftigt den jüdischen Kommunisten Julius Ballon aus Brünn.

*

Der Maurerpolier Philipp Weiß aus Reichenbach im Odenwald begrüßte den erst kürzlich aus dem Konzentrationslager entlassenen Handelsjuden Ferdinand Israel Mayer auf einer öffentlichen Straße und erkundigte sich freundlich nach seinem Befinden.

*

Der Landwirt Lersch aus Laurenzberg (bei Eschweiler) kaufte bei der Jüdin Keller aus Langweiler eine Doppelschlafzimmereinrichtung.

*

Der Arbeiter Franz Schübring in Bärwalde (Pommern), Neustettiner Straße, besuchte den Juden Blumenthal in seiner Wohnung.

*

Der Angestellte Hans Bittner in Fulnek (Sudetengau) kaufte bei dem Juden Hamburger ein Speisezimmer.

*

Der Kaufmann Michael Petermann ging mit dem Juden Julius Israel Mayer durch die Straßen in Speyer am Rhein und drückte ihm beim Abschied herzlich die Hand. Petermann hat zwei Lebensmittelgeschäfte mit Bäckerei in der Armbruststraße und Hilgenstraße.

*

Der Deutsche Automobil-Club in Kulmbach hält seine Versammlungen im Hotel zur Post in Kulmbach ab. Der Besitzer des Hotels ist mit einer Volljüdin verheiratet, unter deren Aufsicht die Speisen für den DDAC. angerichtet werden. Auch der Baumeister Wilhelm Pittroff aus Kulmbach ist täglich Gast in diesem Hotel.

*

Der Eisenbahnbeamte Adam Losie und seine Familie aus Saarburg-Beurig, Franz-Seldte-Straße, verkehren noch heute mit den Judenfamilien Josef und Levy. Auch auf offener Straße unterhält sich der Vg. Losie mit den Juden in freundschaftlicher Weise.

*

Der Justizwachtmeister a. D. Julius Renko, Frankfurt a. M., Feldbergstraße 31, ließ sich von ausziehenden Juden alte Möbelstücke schenken.

*

Der Eisenbahnbeamte i. R. Johann Dietrich in Konz bei Trier, Konstantinstraße 5, unterhält sich mit Juden auf offener Straße und mauschelt in Seitenwegen mit Juden.

*

Die Lehrerin Leopoldine Kronfuß in Wieselburg a. D. Erlauf spaziert mit der Jüdin Weiner in munterem Geplauder durchs Dorf. Auch der Handelsangestellte Josef Fendt unterhält intimste Kameradschaft zu dem Juden Karl Israel Weiner. Der Vierte in dem Freundschaftsbund Weiner-Kronfuß-Fendt ist der Lehrer Karl Achleitner.

*

Der Rektor i. R. Ludwig Wilkens, wohnhaft in Breslau, Neudorffstraße 49, stellt sich in die Dienste der Juden, deren Interessen er andern Volksgenossen gegenüber wahrnimmt. Den Deutschen Gruß erwidert er stumm durch Berühren seiner Kopfbedeckung.

*

Der Käsehändler Weisemann in der Martin-Richter-Straße 42 zu Nürnberg zählt nicht nur heute noch die Juden zu seinen guten Kunden, sondern unterhält sich auch auf der Straße längere Zeit mit Juden, nimmt vor ihnen den Hut ab und schüttelt ihnen herzlich die Hände.

*

Der Zeitungsverkäufer Adams, Verkaufsplatz Köln, Ecke Schlageterplatz und Hohenzollernring, begrüßte den Juden Neumann (früherer Inhaber des Modehauses „Finesse") mit herzlichem Händedrücken und Händeschütteln und unterhielt sich lange Zeit mit ihm. Er zählt ihn zu seinen alten Kunden und ist ihm noch heute dankbar, daß der Jude ihm einmal eine Hose geschenkt hat.

*

Der Vg. Anton Fürst aus Betzenweiler bei Riedlingen (Württbg.) kaufte von einem Viehjuden in Luchau zwei Kühe, die bei Nacht und Nebel abtransportiert wurden, damit niemand das Verhalten des F. bemerken sollte.

*

Frau Anna Müller und Frau Auguste Kraus kauften von dem Juden Löblowitz in Michelob (Sudetengau) Möbelstücke und erklärten, das ginge niemand etwas an.
Die Vg. Karl Dachs und Rudolf Haas sind heute noch Milchabnehmer des Juden.

*

Der in Bochow-Bruch bei Groß-Kreutz wohnhafte Arbeiter Fritz Gräbnitz und seine Ehefrau unterhalten freundschaftliche Beziehungen zu dem Juden Sam Israel Brodsky, in dessen Hause sie wohnen.

*

Die Volksgenossen Georg Stricker, Hans Schäffler, Joh. Langenmayer, Babette Gerstmayer und Anton Gerstmayer in Gundremmingen, Kreis Günzburg, und Bauer Gregor Feil aus Schnuttenbach kauften vom Juden Benno Israel Fellheimer in Ichenhausen Möbel. Der jüdische Hausrat wurde in der Scheune des Vg. Stricker abgeladen und verteilt.

*

Der Spenglermeister Josef Bräunl aus Saaz, Ackermannplatz 69, der ein riesiges Vermögen besitzt, weigerte sich, eine WHW-Spende zu geben. Im Weihnachtspaket „opferte" er eine zusammengeleimte Vase der NSV.

---

82 Regelmäßig erschienen im «Stürmer» die Rubriken «Was man dem Stürmer schreibt» und «Kleine Nachrichten». Das waren Tummelplätze für Denunziationen aller Art gegen «Judenknechte». Darunter verstanden der «Stürmer» und seine Zuträger solche Deutsche, die sich gegenüber ihren jüdischen Mitbürgern Anstand, Menschlichkeit und Zivilcourage bewahrt hatten.

stets war er nach wenigen Sätzen bei «seinem» Thema. Kurz vor Weihnachten 1936 und 1938 begrüßte er ehemalige Kommunisten, die auf seine Veranlassung aus dem Konzentrationslager entlassen worden waren (sein exzentrisches Verhalten war für jede Überraschung gut). Natürlich waren auch an ihrem Los die Juden schuld, denn, so wußte er in seiner Ansprache, die Arbeiterbewegung geriet «in die Hände der Juden» und verfolgte schließlich «nur noch die Interessen der Juden».[11] Auch jener ehemalige politische Gegner, den er nach jahrelanger Haft in einer theatralischen Feierstunde an seinem neuen Arbeitsplatz einführte, war – da gab es für Streicher keinerlei Zweifel – «von Juden verführt».[12] Einmal besuchte er eine Weihnachtsfeier für minderbemittelte Nürnberger Kinder. Im Verlauf seiner Ansprache fragte er die Kinder, wer der Teufel sei, worauf sie ihm (so be-

84 *Im Nürnberger Stürmer-Verlag erschienen auch zwei Kinder- und Jugendbücher, die schon im Schulalter zum Juden-*
haß erziehen sollten. Von den beiden Schmutzbüchern wurden nicht einige tausend, sondern weit über hunderttausend
gedruckt und verkauft.

richtete jedenfalls die Zeitung) im Chor antworteten: «Der Jud! Der Jud!»[13] Begierig spann Streicher diesen Gedanken fort.

Weiteste Verbreitung fanden Streichers Hirngespinste und Haßtiraden in seiner Wochenzeitung «Der Stürmer». Das einstige Lokalblatt mit bescheidenem Wirkungskreis erreichte nach 1933 eine stürmische Auflagenentwicklung: von rund 20 000 Exemplaren kurz vor der Machtübernahme stieg die Auflage innerhalb weniger Jahre auf nahezu 700 000. Der «Stürmer» war nicht nur Streichers persönliches Eigentum (er war keine parteiamtliche Zeitung), sondern auch inhaltlich sein ureigenstes Werk. Er selbst schrieb regelmäßig für seine Zeitung und begutachtete und korrigierte darüber hinaus fast jedes Manuskript vor der Drucklegung. Chefredakteure waren in den dreißiger Jahren der Stellvertretende Gauleiter Karl

85 *Das Bilderbuch «Trau keinem Fuchs auf grüner Heid und keinem Jud bei seinem Eid!» erschien 1936. Verse und Bilder stammten von einer jungen Kindergärtnerin namens Elvira Bauer. «Der Vater des Juden ist der Teufel!» hieß es gleich in der Einleitung, und anschließend wurden verschiedene Lebenssituationen vorgestellt, in denen sich regelmäßig «der Jude» als verabscheuungswürdige Kreatur entpuppt.*

Holz, in vulgärer Gesinnung und Ausdrucksweise Streicher sehr ähnlich, und der ehemalige Volksschullehrer Ernst Hiemer. Für die Beschaffung von aktuellen Nachrichten und anderem Material hatte der «Stürmer» keine hauptamtlichen Mitarbeiter. Vielmehr waren es neben einigen «Hoflieferanten», die ihn laufend versorgten, zahllose freiwillige Zuschriften seiner Leser, von denen er lebte und die nichts kosteten. Der «Stürmer» machte Streicher innerhalb weniger Jahre zum mehrfachen Millionär und ermöglichte ihm anfangs 1937 den Erwerb des Gutes Pleickershof 15 km westlich von Nürnberg.

Die «Lehre», die Streicher und sein «Stürmer» unablässig verkündeten, sah – kurz gesagt – folgendermaßen aus: es gibt wertvolle und minderwertige Rassen auf der Erde. Die höchst-stehende und deshalb die «Herrenrasse» ist das deutsche Volk. Damit aber wollen sich gerade die Juden, eine besonders minderwertige Rasse, nicht abfinden. Durch eine internationale Verschwörung bekriegen sie das deutsche Volk mit allen Mitteln und versuchen es zu «verjuden». Deshalb sind «Aufklärung» über diese Gefahr und erbarmungsloser Kampf gegen die Juden lebensnotwendig, denn: «Die Juden sind unser Unglück» – so lautete das in jeder «Stürmer»-Nummer wiederkehrende Motto. Mit Verleumdungen, Übertreibungen und Appellen an alle niedrigen Instinkte ihrer Leser betrieb die Zeitung eine pausenlose Haß- und Furchtpropaganda gegen den «Weltfeind All-Juda», gegen die «jüdisch-bolschewistische Weltverschwörung», gegen das «Volk der Verbrecher».

Die regelmäßigen Rubriken «Was man dem Stürmer schreibt» und «Kleine Nachrichten – Was das Volk nicht verstehen kann» waren Tummelplätze

Inge wollte nicht ungehorsam sein und ging. Ging hinüber zum Judenarzt Doktor Bernstein.

Inge sitzt im Vorzimmer des Judenarztes. Sie muß lange warten. Sie blättert in den Zeitschriften, die am Tische liegen. Aber sie ist viel zu unruhig, als daß sie nur einige Sätze lesen könnte. Immer wieder muß sie an das Gespräch mit der Mutter denken. Und immer wieder kommen ihr die Warnungen ihrer BDM-Mädelschaftsführerin in den Sinn: „Ein Deutscher darf nicht zum Judenarzt gehen! Und ein deutsches Mädchen erst recht nicht! So manches Mädchen, das beim Judenarzt Heilung suchte, fand dort Siechtum und Schande!"

Als Inge das Wartezimmer betreten hatte, hatte sie ein sonderbares Erlebnis gehabt. Aus dem Sprechzimmer des Arztes klang ein Weinen. Sie hörte die Stimme eines Mädchens:

„Herr Doktor! Herr Doktor! Lassen sie mich in Ruhe!"

Dann hörte sie das Hohngelächter eines Mannes. Dann war es auf einmal ganz still.
Atemlos hatte Inge zugehört.

„Was mag das alles zu bedeuten haben?", fragte sie sich, und ihr Herz klopfte bis zum Halse hinauf. Und wieder dachte sie an die Warnungen ihrer BDM-Führerin. —

Inge wartet nun schon eine Stunde lang. Wieder greift sie nach den Zeitschriften und versucht zu lesen. Da öffnet sich die Türe. Inge blickt auf. Der Jude erscheint. Ein Schrei dringt aus Inges Mund. Vor Schreck läßt sie die Zeitung fallen. Entsetzt springt sie in die Höhe. Ihre Augen starren in das Gesicht des jüdischen Arztes. Und dieses Gesicht ist das Gesicht des Teufels. Mitten in diesem Teufelsgesichte sitzt eine riesige, verbogene Nase. Hinter den Brillengläsern funkeln zwei Verbrecheraugen. Und um die wulstigen Lippen spielt ein Grinsen. Ein Grinsen, das sagen will: „Nun hab' ich dich endlich, kleines deutsches Mädchen!"

Und dann geht der Jude auf sie zu. Seine fleischigen Finger greifen nach ihr. Nun aber hat sich Inge gefaßt. Noch ehe der Jude zupacken kann, schlägt sie mit ihrer Hand in das fette Gesicht des Judenarztes. Dann ein Sprung zur Türe. Atemlos rennt Inge die Treppe hinunter. Atemlos stürzt sie aus dem Judenhaus.

Weinend kommt sie zu Hause an. Die Mutter erschrickt, als sie ihr Kind sieht.

„Um Gottes willen, Inge! Was ist passiert?"

Es dauert lange, ehe das Kind nur ein Wort sprechen kann. Dann aber erzählt Inge ihr Erlebnis beim Judenarzt. Entsetzt hört die Mutter zu. Und als Inge ihre Erzählung beendet hat, senkt die Mutter beschämt den Kopf.

34

Hinter den Brillengläsern funkeln zwei Verbrecheraugen und um die wulstigen Lippen spielt ein Grinsen.

86 *Das 1938 erschienene Jugendbuch «Der Giftpilz» schrieb der ehemalige Volksschullehrer Ernst Hiemer. Die Titelgeschichte vermittelte dem Kind die «Lehre»: «wie Giftpilze oft schwer von den guten Pilzen zu unterscheiden sind, so ist es oft sehr schwer, die Juden als Gauner und Verbrecher zu erkennen». Andere Geschichten des Buches hießen: So betrügen jüdische Händler – So behandelt der Jude sein Dienstmädchen – Wie es Inge bei einem Judenarzt erging – So quälen die Juden die Tiere.*

für Denunziationen aller Art. Die Briefschreiber und Beiträger zu diesen Rubriken stammten aus allen sozialen Schichten und stellten eine zweifellos kleine, aber besonders niederträchtige Negativ-Auslese des Volkes dar. In Mentalität und Terminologie entsprachen die Leserzuschriften genau dem «Stürmer»-Stil. Ziel dieser Denunziationen waren nicht nur Juden, sondern auch «Judenknechte»: nämlich solche Deutsche, die sich gegenüber jüdischen Mitbürgern Anstand, Menschlichkeit und Zivilcourage bewahrt hatten. Erschreckend an diesen Spalten: daß es nicht wenige Deutsche gab, die sich ohne Zwang für derlei widerwärtige Denunziationen hergaben – tröstlich: daß es

87 *In diesem (heute nicht mehr existierenden) Gebäude, dem «Kulturverein», fand im Rahmen des «Parteitags der Freiheit» jene Reichstagssitzung statt, in der am 15. September 1935 die beiden berüchtigten Gesetze beschlossen wurden, die nach dem Ort ihrer Verkündigung als «Nürnberger Gesetze» in die Geschichte eingegangen sind.*

viele andere Deutsche gab, die die diffamierten Juden trotz aller Hetze als Mitbürger behandelten und Anpöbeleien und andere Nachteile in Kauf nahmen.

Illustriert war der «Stürmer» wie schon vor 1933 durch zahlreiche Fotos, bei deren Abdruck Montage und Retusche eine wichtige Rolle spielten. Weithin bekannt geworden sind die unverwechselbaren «Stürmer»-Karikaturen, die ausnahmslos von Philipp Rupprecht stammten (Pseudonym: «Fips»). Die Juden: dicke, krummbeinige, plattfüßige, stiernackige Kreaturen mit überaus häßlichen Gesichtsfratzen, aus denen riesige und natürlich krumme Nasen hervorquollen. Ihnen gegenüber die «Arier»: blond, schlank, muskulös, mit edlen Zügen, die Häßlichkeit und Verworfenheit

der «Stürmer»-Juden zusätzlich betonend. Nicht den Gegner zu verspotten war das Ziel, sondern blanken Haß gegen ihn zu wecken.

Es gab Pädagogen, die meinten, den «Stürmer» sollten auch Kinder kennenlernen und lesen. Im Herbst 1936 bestellte die staatliche Schulbehörde auf Veranlassung der NS-Gauleitung die Sondernummern des «Stürmer» in jeweils fast 800 Exemplaren für den «rassekundlichen Unterricht» an allen Volksschulen Mittelfrankens. Verantwortungsbewußte Lehrer haben gewiß einen Teil dieser Schmutzhefte in Schränken verschwinden lassen, aber zahlreiche, heute erschütternd wirkende Schulaufsätze von Kindern belegen, daß andere Lehrer tatsächlich das «Stürmer»-Gift auch im Unterricht verbreitet haben. Der Nürnberger Stadtschulrat Fritz Fink, ein Hetzer so recht nach Streichers Sinn, veröffentlichte im Stürmer-Verlag eine Schrift «Die Judenfrage im Unterricht». Seine Empfehlung: «Rassenkunde und Judenfrage müssen sich durch den Unterricht aller Altersstufen wie ein roter Faden hindurchziehen»[14]. Seine Adressaten: alle Lehrer, besonders aber «die Schwächlinge, die Feigen, die noch von volksfremden Mächten Verdorbenen unter der deutschen Erzieherschaft, die der Judenfrage im Unterricht aus dem Wege gehen»[15].

Ebenfalls im Stürmer-Verlag erschienen zwei Kinder- und Jugendbücher, die den absoluten Tiefpunkt des Niveaus markieren, auf dem der Nationalsozialismus die Bekämpfung einer «rassischen» Minderheit betrieb. Druckerzeugnisse von solcher Niedertracht und Gemeinheit waren selbst in der nationalsozialistischen Publizistik einzigartig. Da erschien 1936 unter dem Titel «Trau keinem Fuchs auf grüner Heid und keinem Jud bei seinem Eid!» ein Bilderbuch. Gedruckt in «Deutscher Schreibschrift», wie sie seinerzeit an den Volksschulen gelehrt wurde, und mit kindgemäß-schlichten bunten Zeichnungen versehen, sollte es Kinder schon in frühem Schulalter zum Judenhaß erziehen. Das Bilderbuch, zu dessen Veröffentlichung nicht einmal der parteiamtliche Verlag der NSDAP bereit war, erreichte eine Auflage von weit über 100 000 Exemplaren; es wurde besonders als – Weihnachtsgeschenk empfohlen. Zwei Jahre später folgte ein anderes Jugendbuch mit genau der gleichen Zielsetzung, diesmal für etwas ältere Schüler gedacht: «Der Giftpilz». Die Geschichten des Buches sollten, wie es in der Einleitungsgeschichte wörtlich hieß, «den Juden» als das zeigen, «was er in Wirklichkeit ist, als Teufel in Menschengestalt»[16]. Man fragt sich heute einigermaßen fassungslos, wie Zehn- ja Hunderttausende von Eltern und Lehrern dazu kommen konnten, den ihnen anvertrauten Kindern solche Schmutzbücher in die Hand zu geben.

Das Klima gegen die Juden verschlechterte sich seit 1933 zusehends, die Schwierigkeiten und Drangsale wuchsen ständig. Bereits in den ersten beiden Jahren der nationalsozialistischen Herrschaft verminderte sich die jüdische Wohnbevölkerung Nürnbergs um 28 %. 2313 Juden wanderten aus oder verzogen in andere Städte. Schon 1933 richtete die jüdische Gemeinde eine Beratungsstelle ein, die Rat und Hilfe in juristischen und wirtschaftlichen Angelegenheiten gewähren sollte. Aber selbst die organisierte Eigenhilfe der Juden blieb nicht frei von behördlichen Schikanen, von Hausdurchsuchungen, Überwachung des Postverkehrs, Behinderung von Sammlungen für notleidende Gemeindeglieder.

Die systematisch geschürte Judenfeindschaft erlebte im Herbst 1935 einen spektakulären Höhepunkt. Es geschah auf einem der Reichsparteitage, nämlich dem «Parteitag der Freiheit», daß zwei Gesetze erlassen wurden, die nach dem Ort ihrer Verkündigung als «Nürnberger Gesetze» in die Geschichte eingegangen sind und der Stadt zu traurigem Ruhm verholfen haben. Für den 15. September 1935 war der «Reichstag» einberufen (dieses Zerrbild einer Volksvertretung bestand ausschließlich aus Abgeordneten der NSDAP). Kurz vor dieser Sitzung wies Hitler das Innenministerium an, zur Regelung der «Judenfrage» Gesetze zu entwerfen, die er auf der Reichstagssitzung beschließen lassen wolle. In hektischer Eile und in einem heftigen Tauziehen zwischen den Scharfmachern der Partei und den «Bremsern» der Staatsbehörden wurden in der Tat zwei Gesetze entworfen (und einstimmig beschlossen), die die rechtliche und soziale Stellung der deutschen Juden einschneidend veränderten. Das eine, das «Reichsbürgergesetz», legte fest, daß nur Deutsche «arischer» Abstammung Reichsbürger mit vollen politischen Rechten sein können, und degradierte damit Juden deutscher Staatsangehörigkeit offiziell zu Staatsbürgern minderen Ranges. Das zweite, genannt «Gesetz zum Schutz des deutschen Blutes und der deut-

Reichsbürgergesetz

Vom 15. September 1935.

Der Reichstag hat einstimmig das folgende Gesetz beschlossen, das hiermit verkündet wird:

§ 1

(1) Staatsangehöriger ist, wer dem Schutzverband des Deutschen Reiches angehört und ihm dafür besonders verpflichtet ist.

(2) Die Staatsangehörigkeit wird nach den Vorschriften des Reichs- und Staatsangehörigkeitsgesetzes erworben.

§ 2

(1) Reichsbürger ist nur der Staatsangehörige deutschen oder artverwandten Blutes, der durch sein Verhalten beweist, daß er gewillt und geeignet ist, in Treue dem Deutschen Volk und Reich zu dienen.

(2) Das Reichsbürgerrecht wird durch Verleihung des Reichsbürgerbriefes erworben.

(3) Der Reichsbürger ist der alleinige Träger der vollen politischen Rechte nach Maßgabe der Gesetze.

§ 3

Der Reichsminister des Innern erläßt im Einvernehmen mit dem Stellvertreter des Führers die zur Durchführung und Ergänzung des Gesetzes erforderlichen Rechts- und Verwaltungsvorschriften.

Nürnberg, den 15. September 1935,
am Reichsparteitag der Freiheit.

Der Führer und Reichskanzler

Der Reichsminister des Innern.

88/89/90 *Die u. a. von Hitler unterschriebenen Texte der «Nürnberger Gesetze», die die rechtliche und soziale Stellung der deutschen Juden einschneidend veränderten. Der Standort dieser Gesetze im Prozeß der Judenverfolgung ist umstritten: waren sie wichtige Etappe oder gar Voraussetzung auf dem Weg zur «Endlösung» oder schufen sie, wenigstens vorübergehend, ein Stück Rechtssicherheit und damit Schutz vor Willkür und weitergehenden Radikalforderungen der Partei? Das «Blutschutzgesetz» hatte eine Serie von Prozessen und drakonischen Strafen wegen «Rassenschande» zur Folge.*

Gesetz zum Schutze des deutschen Blutes
und der deutschen Ehre.

Vom 15.September 1935.

Durchdrungen von der Erkenntnis, daß die Reinheit des
deutschen Blutes die Voraussetzung für den Fortbestand des
Deutschen Volkes ist, und beseelt von dem unbeugsamen Willen,
die Deutsche Nation für alle Zukunft zu sichern, hat der
Reichstag einstimmig das folgende Gesetz beschlossen, das
hiermit verkündet wird:

§ 1

(1) Eheschließungen zwischen Juden und Staatsangehörigen deut-
    schen oder artverwandten Blutes sind verboten. Trotzdem
    geschlossene Ehen sind nichtig, auch wenn sie zur Umgehung
    dieses Gesetzes im Ausland geschlossen sind.

(2) Die Nichtigkeitsklage kann nur der Staatsanwalt erheben.

§ 2

Außerehelicher Geschlechtsverkehr zwischen Juden und
Staatsangehörigen deutschen oder artverwandten Blutes ist verboten.

§ 3

Juden dürfen weibliche Staatsangehörige deutschen oder artverwandten Blutes unter 45 Jahren in ihrem Haushalt nicht be-
schäftigen.

§ 4

(1) Juden ist das Hissen der Reichs- und Nationalflagge und
    das Zeigen der Reichsfarben verboten.

(2) Dagegen ist ihnen das Zeigen der jüdischen Farben gestat-
    tet. Die Ausübung dieser Befugnis steht unter staatlichem
    Schutz.

./.

schen Ehre», erklärte u. a. die Eheschließung zwischen Juden und Nicht-Juden zu einem mit Zuchthausstrafe belegten Delikt. Der Standort der «Nürnberger Gesetze» im Prozeß der Judenverfolgung während des Dritten Reiches ist umstritten. Waren sie wichtige Etappe oder gar Voraussetzung auf dem Leidensweg zur «Endlösung» und zu den Gaskammern? Oder schufen sie (vorübergehend) eine gewisse juristische Klarheit und damit Schutz vor Willkür und weitergehenden Radikalforderungen der Partei? Bei den Rechts- und Verwaltungsvorschriften, die für die Durchführung und Ergänzung der beiden Gesetze erlassen wurden, wiederholte sich das zähe Ringen zwischen den Vertretern der Partei, denen die Gesetzesauslegung nicht radikal genug ausfallen konnte, und beamteten Regierungsvertretern, die für Mäßigung waren und den Kreis der Betroffenen zu begrenzen suchten.

94

§ 5

(1) Wer dem Verbot des § 1 zuwiderhandelt, wird mit Zuchthaus bestraft.

(2) Der Mann, der dem Verbot des § 2 zuwiderhandelt, wird mit Gefängnis oder mit Zuchthaus bestraft.

(3) Wer den Bestimmungen der §§ 3 oder 4 zuwiderhandelt, wird mit Gefängnis bis zu einem Jahr und mit Geldstrafe oder mit einer dieser Strafen bestraft.

§ 6

Der Reichsminister des Innern erläßt im Einvernehmen mit dem Stellvertreter des Führers und dem Reichsminister der Justiz die zur Durchführung und Ergänzung des Gesetzes erforderlichen Rechts- und Verwaltungsvorschriften.

§ 7

Das Gesetz tritt am Tage nach der Verkündung, § 3 jedoch erst am 1. Januar 1936 in Kraft.

Nürnberg, den 15. September 1935,
am Reichsparteitag der Freiheit.

Der Führer und Reichskanzler.

Der Reichsminister des Innern.

Der Reichsminister der Justiz.

Dr. Gürtner

Der Stellvertreter des Führers.

Immerhin gelang es, daß die Mehrzahl der «Mischlinge 1. Grades» (d. h. Halbjuden) mit «Volljuden» nicht gleichgestellt wurden.

Die Gesetze selbst wandte man mit rigoroser Schärfe an. Eine Fülle von Prozessen wegen «Rassenschande», gleich nach dem Erlaß des «Blutschutzgesetzes» einsetzend, war die Folge. Zwei bezeichnende Beispiele aus Nürnberg: einmaliger Geschlechtsverkehr eines jungen Juden mit einer Prostituierten; Urteil: 1 Jahr Zuchthaus für den Juden – intime Beziehungen eines geschiedenen «Ariers» mit einer vor zehn Jahren getauften, also christlich gewordenen Jüdin; Urteil gegen den Mann: 1½ Jahre Zuchthaus und sofortige Verhaftung im Verhandlungsraum! Aus dem Kommentar einer Nürnberger Zeitung zum Fall dieses (so wörtlich) «Verbrechers»: «Es ist erfreulich, daß der Geist Julius Streichers, der die Grundlage der

Nürnberger Gesetze bildete, seinen Einzug auch in
die Gerichtssäle gefunden hat, es ist erfreulich, daß
heute die Staatsanwälte und Richter diesen Geist
in sich aufgenommen haben».[17]
Unmenschlichkeit in Geist und Sprache kam auch
zu erschreckendem Ausdruck, wenn aufgrund des
«Blutschutzgesetzes» Ermessensentscheidungen
zu treffen waren. Der Antrag eines Halbjuden auf
Gleichstellung mit «Deutschblütigen» wurde abgelehnt, obwohl der Antragsteller schon vor 1933
Mitglied der SA und SS war. In der Begründung
hieß es wörtlich: abgesehen davon, daß er «blutlich
ein Bastard» ist, sei auch sein «äußeres Erscheinungsbild derart, daß es niemand verstehen würde,
wenn man einen Mann von so ausgesprochenem

vorderasiatischen Typ mit deutschen Menschen
gleichstellen wollte».[18]

Für die Zulassung zum Öffentlichen Dienst, zum
Studium, zur Zulassung als Geschäftsinhaber und
im Lauf der Zeit für die Ausübung fast aller Berufe
wurde der «arische Abstammungsnachweis» verlangt. Darunter verstand man die amtliche Be-
scheinigung, daß unter den Vorfahren keine Juden
waren. Stellte sich im Zuge dieser von Staats wegen
befohlenen Ahnenforschung heraus, daß beispielsweise einer der Großväter Jude, man also «Misch-
ling 2. Grades» war, konnte das die Vernichtung
der bürgerlichen Existenz bedeuten und eine ganze
Familie in tiefes Unglück stürzen.

91/92 *Selbst eine so harmlos scheinende Veranstaltung wie der Faschingszug wurde in den Dienst der Judenfeindschaft und Judenhetze gestellt.*
Zwei Bilder vom Nürnberger Faschingszug 1938:
Der eine Wagen (rechts) trug die Bezeichnung «Der gefangene Friedensengel»: auf einem Käfig, in dem die Figur eines Engels saß, thronte ein nachgebildeter dicker Jude als derjenige, der den Frieden in der Welt vereitelt.
Der andere Wagen (links) trug den Titel «Die Volksschädlinge»: aus dem Modell eines Stadtturms hingen mehrere aufgehängte Figuren, darunter die eines Juden.

Wie schon 1934 ordnete Streicher auch in der Vorweihnachtszeit 1937 einen Boykott jüdischer Geschäfte und Warenhäuser an. Seit dem 15. Dezember waren weithin sichtbare Plakate vor solchen Geschäften aufgestellt mit Streichers Aufruf und der Aufforderung «Kein Deutscher kauft beim Juden!». Zivilposten überwachten die Eingänge, es kam zu Drohungen und Tätlichkeiten gegen Kun-

«Das Gesuch um Ehegenehmigung des Mischlings 1. Grades Ernst Baumann mit der deutschblütigen Gerda Weber muß abgelehnt werden. Der Ernst Baumann ist zwar sonst in seiner Lebensführung nicht zu beanstanden, er hat aber ein auffallend jüdisches Erscheinungsbild. Die Gerda Weber scheint ein sehr intelligentes Mädchen zu sein, aus erbbiologisch einwandfreier Familie, und auch aus diesem Grunde kann es nicht geduldet werden, daß das gute Erbgut der Weber durch Vermischung mit jüdischem Blut vermantscht wird.»

Entscheidung des «Amts für Volksgesundheit» Nürnberg [19]

Fränkische Tageszeitung

Nürnberg Hauptgeschäftsstelle und Ausgabeort Nürnberg · Zirkelgasse 9 — Fernsprecher Nr. 43781/86 · Postscheckkonto Amt Nürnberg Nr. 5168 | Nationalsozialistische Tageszeitung für den Gau Franken | Bezugspr. mtl. ℳ 2.— einschl. 26 ₰ Trägerl. Postbg. ℳ 2,36 einschl. ℳ 4 Zustellgebühr u. 46 ₰ Postzeitungsgebühr · Anzeigenpreis nach Preisl. Einzelpreis 10 ₰, ausw. 15 ₰ | **Nr. 186 Donnerstag, 11. Aug. 1938**

Julius Streicher gab das Zeichen zum Beginn des Abbruchs der Nürnberger Hauptsynagoge

Eine geschichtliche Stunde!

Die Schande von Nürnberg wird für alle Zeiten aus dem mittelalterlichen Stadtbild getilgt

Nürnberg, 10. August.

In den gestrigen Vormittagsstunden wurde der Abbruch der Nürnberger Synagoge auf dem Hans-Sachs-Platz im Rahmen einer Kundgebung des nationalsozialistischen Nürnberg begonnen. Im Mittelpunkt der Veranstaltung stand eine grundlegende und richtungweisende Ansprache Julius Streichers. Die begonnenen Arbeiten werden bis zum Beginn des kommenden Reichsparteitages bereits vollendet sein. Das Recht zu dieser notwendigen Säuberung des ehrwürdigen Nürnberger Altstadtbildes gab das Gesetz, das Nürnberg in die Reihe der deutschen Städte einordnet, deren Ausbau und Wiederherstellung im Namen des Reiches geschieht.

Wer gestern in den Vormittagsstunden durch die Stadt ging, dem fiel auf, daß das Bild des einander entgegenkommenden Verkehrs verschwunden war. Menschen, Kraftfahrzeuge und Radfahrer bewegten sich alle in einer Richtung. Sie eilten aus allen Stadtteilen einem Ziel zu: dem Hans-Sachs-Platz. Und sie alle beschleunigten ihr Tempo, um ja noch einen besonders guten Platz zu erobern. Tausende und aber tausende waren gekommen. Wer irgendwie seine Arbeit auf einige Stunden unterbrechen konnte, der tat es. Denn diese Kundgebung, die Rede Julius Streichers und den Beginn des Abbruchs der Synagoge wollte jeder miterleben. So war der Platz und die anstoßenden Straßen von Menschen überfüllt, die zu den Zeugen eines geschichtlichen Augenblickes wurden.

500 Jahre zuvor, als in Nürnberg schon einmal eine Synagoge dem Erdboden gleichgemacht wurde, an deren Stelle die Liebfrauenkirche entstand, war es sicher nicht anders.

Erwartung lag über allen Gesichtern. Und als zur angesetzten Zeit Julius Streicher von der Insel Schütt her auf den Kundgebungsplatz einfuhr und die Musik zu einem Marsch ansetzte, da löste sich die Spannung in einem einzigen Aufbrausen der Heilrufe.

Julius Streicher dankte mit erhobener Hand für den Empfang und man sah ihm, der einst als ein Einsamer und Verlachter den Kampf gegen die allmächtigen Juden aufgenommen hatte, an, was ihm diese Stunde bedeutete.

Nun betrat er mit seinen Begleitern eine Empore, die vor der Synagoge errichtet worden war. Gleich darauf stand Oberbürgermeister Liebel vor dem Mikrophon und eröffnete die Kundgebung mit einer Ansprache, der wir das folgende entnehmen:

Oberbürgermeister Liebel spricht

Mein Gauleiter!

Volksgenossen und Volksgenossinnen!

„Als der Gauleiter von Franken, unser Frankenführer Julius Streicher, mich 1933 nach den Jahren des Kampfes im Nürnberger Rathaus mit der Führung dieser Stadt beauftragte, da gab es ihm und der

ganzen Nürnberger Einwohnerschaft das Versprechen, daß wir alles tun würden, aus dieser Stadt wieder eine wahrhaft deutsche

Fortsetzung Seite 2

Symbolische Tat

In Nürnberg wird die Synagoge abgebrochen! Julius Streicher leitet selbst durch eine mehr als einundeinhalbstündige Rede den Beginn der Arbeiten ein. Auf seinen Befehl löste sich dann, gewissermaßen als Auftakt des Abbruchs, der riesige Davidstern von der Kuppel. Diese Nachrichten werden durch Draht und Funk über den Erdball jagen und mehr als eine erregte Debatte, mehr als einen von innerer Anteilnahme geschriebenen Zeitungsartikel auslösen. Neben Stimmen des Jubels werden die ohnmächtigen Haßgesänge des Weltjudentums ertönen. Wieder einmal wird die ganze unflätige Gemeinheit jüdischer

Lüge und Demagogie auf Nürnberg und Julius Streicher konzentriert sein; zwei Namen, an denen heute in der Welt niemand mehr achtlos vorübergehen kann.

Ueber Ablehnung und Zustimmung steht jedoch unverrückbar fest das Geschehen, jene symbolische Tat in den Vormittagsstunden des 10. August 1938 in Nürnberg. Was bedeutet uns der feierliche Beginn des Abbruchs der Hauptsynagoge durch Julius Streicher? Kurz gesagt: Eine historische Stunde im Kampf gegen die jüdische Weltpest! Wer glaubt, daß hier von Julius Streicher und seinen Kampfgefährten ein

Der Frankenführer spricht zur Nürnberger Bevölkerung vor der Synagoge, zu deren Abbruch er das Zeichen gab. Aufn.: Neubauer

98

93/94/95 *Auf einer Großkundgebung am Vormittag des 10. August
1938 verkündete Streicher den Abbruch der Nürnberger Hauptsynagoge am Hans-Sachs-Platz. Bei ihrer Einweihung 1874 hatte der damalige Bürgermeister in einem Trink-
spruch geäußert, daß «die Lösung
der sogenannten Judenfrage gleichen
Schritt mit der Entwicklung und Ver-
mehrung der Gesittung und Humani-
tät bei Nationen und einzelnen» halten müsse. Höhnend zitierte Streicher
in seiner Ansprache diese Worte und
prophezeite abermals, daß die Zeit
komme, «in der einmal die Judenfrage in der ganzen Welt radikal ge-
löst werden wird».*
*Wenige Wochen später war das jüdi-
sche Gotteshaus buchstäblich dem
Erdboden gleichgemacht.*

den, Angestellte und Lieferanten, Waren wurden auf die Straße geworfen, die Polizei schritt in keinem einzigen Fall ein. In ihrer Berichterstattung über den Boykott bezeichnete die «Fränkische Tageszeitung» solche Volksgenossen, die dennoch «in den Geschäften der Christusmörder» ihre Geschenke «zum christlichen Weihnachtsfest» kauften, als «charakterlose Kreaturen» und «ehrvergessene Lumpen»![20] Ein schäbiges Zeichen der Anbiederung setzte der Nürnberg-Fürther Einzelhandelsverband nach dem «gelungenen Boykott»: unter Hinweis, daß dieser den nicht-jüdischen Geschäftsleuten spürbare wirtschaftliche Vorteile gebracht hatte, rief der Verband die fränkischen Einzelhändler zu einer «Julius-Streicher-Spende 1938» als Dank an den «verehrten» Gauleiter und als Hilfe für dessen «segensreiche Arbeit» auf.[21]

Am Vormittag des 10. August 1938 fand auf dem Nürnberger Hans-Sachs-Platz wieder einmal eine der in jener Zeit häufigen Großkundgebungen statt. Zehntausende waren auf den historischen Platz geströmt, teils abkommandiert, teils freiwillig. Unter dem Jubel der Versammelten verkündeten Oberbürgermeister Liebel und Gauleiter Streicher ein «geschichtliches Ereignis», nämlich den Beginn des Abbruchs der Hauptsynagoge, des «Wahrzeichens der Judenherrschaft in Nürnberg»[22]. Aufgrund einer wenige Tage zuvor erlassenen Regierungsanordnung war die Enteignung des Grundstücks, auf dem das jüdische Gotteshaus stand, und seine Zerstörung «gesetzlich» möglich geworden.

Genau drei Monate später hatte die jüdische Gemeinde Nürnbergs eine weitere Gewaltaktion zu erleiden, und diesmal blieb es nicht bei «Gewalt gegen Sachen». Als Reaktion auf die Ermordung eines deutschen Diplomaten durch einen jungen Juden in Paris kam es in Nürnberg wie in vielen anderen deutschen Städten zu wilden antijüdischen Ausschreitungen – wegen der Menge der dabei zerbrochenen Glasscheiben vom Volksmund verharmlosend als «Reichskristallnacht» bezeichnet. Nach mitternächtlichem Appell und Befehlsempfang auf dem Hauptmarkt zogen Horden von SA-Leuten in Begleitung des rasch anwachsenden Pöbels durch die nächtlichen Straßen, drangen gewaltsam in jüdische Wohnungen ein und demolierten die Einrichtungen, zerstörten jüdische Geschäfte, mißhandelten und verhafteten zahlreiche Juden.

«Draußen herrschte ohrenbetäubender Lärm. Scheiben klirrten, Scherben fielen zur Erde. Irgendwer schrie auf. Männerstimmen brüllten. Barsche Befehle übertönten das Splittern von Holz und Glas … In dieser Nacht brauchte ich nicht mehr zu fragen. Ich sah es mit eigenen Augen. Möbel flogen auf die Straße und wurden zu Kleinholz zerhackt. Ein Kristalleuchter zerbarst. Betten wurden aufgeschlitzt, die Bettfedern wirbelten, irgendetwas brannte und beleuchtete die Szene flackernd. Ich fürchtete mich trotz der vertrauten Uniformen, von denen es wimmelte. Männer, mir nicht ganz unbekannt, hieben auf alles ein, was andere aus den Fenstern warfen. Wo die verängstigten Bewohner waren, sah ich nicht.»

Aus dem Bericht des evang. Prodekans Herbert Bauer, der als 13jähriger die «Kristallnacht» am Nürnberger Kaulbachplatz erlebte [23]

Andere SA-Männer, die unter direkter Führung des Nürnberger SA-Chefs von Obernitz standen, brachen in die den Juden verbliebene zweite Synagoge ein und steckten sie in Brand. Mindestens neun Nürnberger Juden fanden in jener Nacht einen gewaltsamen Tod, weitere zehn nahmen sich selbst das Leben. (Der hohe Prozentsatz der in der Stadt Getöteten – bei 91 ermordeten Juden im ganzen Reich – zeigte die besondere Brutalität der Nürnberger SA-Aktionen.) Am Abend des folgenden Tages fand eine Großkundgebung statt. Vor Zehntausenden von Teilnehmern stieß Streicher in seiner wie immer unglaublich gehässigen Rede abermals die Drohung aus: «Der Nationalsozialismus wird eines Tages die Judenfrage gründlich und endgültig lösen».[24] Daß die Geschehnisse der vorangegangenen Nacht keineswegs die Zustimmung aller Nürnberger fanden, mußte selbst Streicher in seiner Rede zugeben. In der evang. St. Lorenzkirche, einer der beiden Hauptkirchen der Stadt, nahm im Gottesdienst des folgenden Sonntags Pfarrer Wilhelm Geyer von der Kanzel aus öffentlich Stellung gegen das den Juden angetane Unrecht; alle Geistlichen der Pfarrei traten anschließend vor den Altar, wo die Zehn Gebote demonstrativ vorgesprochen wurden. Von weiteren Protesten ist nichts bekannt geworden; die mannhaften Geistlichen von St. Lorenz blieben unbehelligt.

Neben diesen aufsehenerregenden Gewaltaktionen gab es eine Fülle weiterer Schikanen und Entehrungen. So meldeten die Nürnberger Zeitungen am 6. Januar 1938: «Auch Brause- und Wannenbäder für Juden verboten» [25]. (Dazu der Oberbürgermeister: man könne «keinem Volksgenossen zumuten, in die Wanne zu steigen, in der soeben ein Jude gebadet habe».) [26] Am 2. Dezember 1938 meldeten die Zeitungen, daß der Zuzug von Juden nach Nürnberg polizeilich verboten sei – vier Tage später, daß Juden ihre Führerscheine und Kraftfahrzeugpapiere sofort abzuliefern haben. «Juden gehen zu Fuß!», hieß eine zynische Zeitungsüberschrift, die sich auf diese Anordnung bezog. [27] Und in der Zeitung war unmittelbar daneben in einer gefühlvollen Betrachtung über den Christkindlesmarkt von «Weihnachtsseligkeit» und dem «Wunderland des Christkinds» die Rede!

Aus dem öffentlichen und kulturellen Leben und aus den meisten Berufen waren die Juden inzwischen verdrängt. Aber sie waren vielfach noch Eigentümer von Firmen, Grundstücken und Häusern. Schon vor der «Kristallnacht» setzten mehr oder minder erzwungene Überführungen in den Besitz von «Ariern» ein. Unter Druck wurden die Juden veranlaßt, ihre Firmen zu verkaufen, meist zu Spottpreisen, wobei die lukrativsten Firmen an «verdiente» Parteigenossen gingen. Die Partei und einzelne Funktionäre erhielten hohe Provisionen und Bestechungsgelder. Nach der «Kristallnacht» beschleunigte die Gauleitung diese «Arisierungen» nach der Devise «Franken voran» – um gesetzliche Bestimmungen scherte man sich nicht. Hauptantreiber waren, da Streicher persönlich nicht hervortreten wollte, sein Stellvertreter Holz und der Gauwirtschaftsberater Strobl, in Personalunion Präsident der Industrie- und Handelskammer. Verfolgt wurde ein doppeltes Ziel: die Juden nach Kräften zu schädigen und für die Partei und einzelne Günstlinge möglichst große Vorteile herauszuwirtschaften.

Unter Drohungen und teilweise auch unter offener Gewaltanwendung zwang man die Juden zu verkaufen. Bei Häusern betrug der gezahlte Kaufpreis durchschnittlich 30%, bei unbebauten Grundstücken weniger als 10% des Verkehrswerts (in den meisten Fällen konnten die Juden über diese Verkaufserlöse nicht einmal verfügen; sie lagen auf Sperrkonten fest). Bis Februar 1939 waren auf solche Weise 569 Grundstücke «arisiert». Den größten Teil erwarb Holz zunächst für die Partei und erwirtschaftete beim Weiterverkauf einen Gewinn in Millionenhöhe. Holz betrog für die Partei, aber Streicher und andere bereicherten sich in schamloser Weise höchstpersönlich. So ließ Streicher einen im KZ Dachau inhaftierten Juden erpressen, Aktien für 5% des Nennwerts an den Gauleiter zu verkaufen. «Bewährte» Parteigenossen erwarben von Juden für 100 oder 120 RM Autos, die einen 10–20fachen Schätzwert hatten. Die Formen und das Ausmaß dieser Ausplünderungen von Juden im Nürnberger Raum waren beispiellos. Der politische Antisemitismus entpuppte sich hier als primitive Bereicherungssucht von Emporkömmlingen. Bei den dazu nötigen Rechtsgeschäften – ein Schein mußte schließlich gewahrt bleiben – spielten die Justizbehörden und die Verwaltung als willige Werkzeuge mit.

Der Nürnberger Polizeipräsident Dr. Martin, noch vor wenigen Jahren gern die Gunst Streichers genießend, befand sich zu dieser Zeit schon in heimli-

96/97 Während die Staatsbehörden noch immer eine «gesetzliche» Regelung der Judenfrage anstrebten, handelten Polizei- und SS-Instanzen auf eigene Faust. Eine im Oktober 1938 in mehreren Städten durchgeführte Großaktion hatte das Ziel, Juden mit polnischer Staatsangehörigkeit zu ergreifen und über die Grenze abzuschieben. Im Bild: zusammengetriebene «Ostjuden» in Nürnberg vor ihrem Abtransport zur deutsch-polnischen Grenze. ▷ ▷▷

98 *Beim großen Judenpogrom in der «Reichskristall-nacht» brachen SA-Männer in die den Nürnberger Juden verbliebene zweite Synagoge in der Essenweinstraße ein und steckten sie in Brand. Die Feuerwehr, die von der angeblich «spontanen», in Wirklichkeit von oben ange-ordneten und gelenkten Aktion vorher verständigt worden war, hatte nur die Aufgabe, die angrenzenden Häuser zu schützen. Jüdische Familien, die in der Nähe wohnten, wurden vor das brennende Gotteshaus getrieben und zum Zuschauen gezwungen. Viele Nürnberger lehnten diese Untaten ab.*

chem Vorgehen gegen den Gauleiter und seine Clique, deren skandalträchtige Amtsführung er immer mehr verabscheute. In diesem Macht-kampf innerhalb der Nürnberger Führungs-schicht, der mit seinen Intrigen und Abtreibungs-affären und anonymen Flugblättern sich strecken-weise wie ein Schmierentheater ausnahm, blieb als Erster Streichers gefürchteter Adjutant Hanns König auf der Strecke. Als gefährlich werdenden Mitwisser drängte Streicher ihn zum Selbstmord und spielte dann beim pompösen Begräbnis den tiefgetroffenen Kameraden. Auf Betreiben Mar-tins setzte Generalfeldmarschall Göring, der für die gesetzmäßige «Entjudung» der Wirtschaft zu-ständig war, eine Untersuchungskommission ein, die die Nürnberger Arisierungspraxis unter die Lupe nahm. Dabei wurden haarsträubende Kor-ruptionsfälle und Ungesetzlichkeiten, dazu Strei-chers Verschwendungssucht und sein sexualpatho-logisches Verhalten aktenkundig. (Der umfangrei-che Abschlußbericht dieser Kommission ist erhal-ten geblieben und diente in dem Nürnberger «Hauptkriegsverbrecherprozeß» nach 1945 als Anklagedokument.) Erst Holz, dann Streicher tauchten vorübergehend in einem Sanatorium un-ter, aber dann dauerte es nochmals ein ganzes Jahr, bis Streicher vollends entmachtet war. Ein Redeverbot Hitlers beachtete er nicht, schließlich kam es 1940 zu einem Parteigerichtsverfahren: Streicher behielt seinen Rang, verlor aber seine Ämter und verschwand, auf sein Gut verbannt, in der politischen Versenkung. Der erwähnten Un-tersuchungskommission ging es im übrigen keines-wegs darum, das den Juden angetane Unrecht wiedergutzumachen. Vielmehr sollten die bei der «Arisierung» erzielten Gewinne dem Staat zugu-tekommen und nicht in den Kassen von Parteiin-stanzen und schon gar nicht in den Taschen von Parteifunktionären verschwinden. Die staatlichen Maßnahmen zur «Ausschaltung der Juden aus dem deutschen Wirtschaftsleben» (so der Titel ei-ner grundlegenden Verordnung vom 12. Novem-ber 1938) und zur umfassenden Enteignung der Juden führten dazu, daß unter ihnen Arbeitslosig-keit und materielle Not sich ungeheuer ausbreite-ten und daß viele die finanziellen Mittel zur Aus-wanderung verloren.

Bei Kriegsbeginn im September 1939 lebten von den ursprünglich über 8000 Juden Nürnbergs noch rund ein Drittel in der Stadt. Schon vor den zwei

Jahre später beginnenden Deportationen Richtung Osten war der Leidensweg des jüdischen Bevölkerungsteils in der Stadt Streichers, des «Stürmer» und der «Nürnberger Gesetze» besonders bitter und grausam gewesen.

Aber inmitten von Haß und Schmutz und Leid gab es auch einen tröstlichen Aspekt. In einem Bericht der Untergrund-SPD vom Sommer 1934 hieß es: «Die Judenverfolgungen in Nürnberg finden nur bei den eingefleischten Nazis Anklang. Die übrige Bevölkerung verurteilt das.»[28] Nicht nur Gegner, sondern auch hohe Repräsentanten des Regimes stellten derartiges fest. So erklärte der «Reichsärzteführer» Dr. Wagner in einer Rede auf dem Reichsparteitag 1937: «Wir müssen immer wieder erleben, daß deutsche Volksgenossen als Schutzengel oder Fürsprecher auftreten für Juden oder deutsch-jüdische Mischlinge.»[29] Streicher selbst höhnte nach der «Kristallnacht» gegen Volksgenossen, die Mitgefühl zeigten und wegen der statt-

gefundenen Ausschreitungen «mit langen und traurigen Gesichtern durch die Stadt gehen»[30].

Auch die mit krankhafter Besessenheit betriebene Hetze und «Aufklärungsarbeit» beweisen indirekt, daß ein großer Teil der Bevölkerung die judenfeindlichen Maßnahmen nicht billigte und daher nach Meinung Streichers und des «Stürmer» unablässige «Aufklärung» und Warnungen vor der «jüdischen Weltgefahr» «nötig» hatte. Die zahlreichen Denunziationen und das darauf gründende Anprangern von «Judenknechten» weisen in dieselbe Richtung.

Was in den folgenden Jahren geschah, traf Schuldige und Unschuldige gleichermaßen. 59 Luftangriffe, davon 15 Großangriffe, hatten die Bewohner der Stadt zu erdulden. Ein Luftangriff am Abend des 2. Januar 1945 führte zum Untergang der Altstadt; noch am anderen Tag stiegen die Rauchwolken der brennenden Stadt über 2000 Meter hoch. Mitte April 1945 war Nürnberg von amerikanischen Truppen eingeschlossen – ein «Führerbefehl» verlangte Verteidigung bis zum Letzten – tagelange Beschießungen, große Brände, erbitterte Straßenkämpfe vollendeten das Zerstörungswerk. Bei Kriegsende war Nürnberg ein gespenstisches Trümmerfeld, eine der am stärksten verwüsteten Städte des untergegangenen Dritten Reiches. 6½ Jahre vor diesem Ende hatte Streicher auf jener Kundgebung, auf der er das Zeichen zum Abbruch der Synagoge gab, ausgerufen: «Wir leben in einer großen Zeit. Die Saat, die wir gesät haben, geht auf. Die Würfel sind gefallen.»[32]

> «Wir wissen, daß es auch bei uns noch Leute gibt, die Mitleid mit den Juden haben, Leute, die nicht wert sind, in dieser Stadt wohnen zu dürfen, die nicht wert sind, zu diesem Volke zu gehören, von denen Ihr ein stolzer Teil seid. Mir wurde berichtet, daß heute eine ‹Dame› schluchzend erklärte, es sei herzbrechend, daß Geschäfte demoliert wurden ...»
>
> *Julius Streicher in seiner Rede auf der Nürnberger Großkundgebung nach der «Kristallnacht» 1938*[31]

Quellen

Literatur

Archivbestände
AsD = Archiv der sozialen Demokratie der Friedrich-Ebert-Stiftung Bonn
BHStA = Bayerisches Hauptstaatsarchiv München
BA = Bundesarchiv Koblenz
LkA = Landeskirchliches Archiv Nürnberg
StAN = Staatsarchiv Nürnberg
StadtAN = Stadtarchiv Nürnberg

Fink, Fritz: Die Judenfrage im Unterricht. Nürnberg 1937
Fünf Jahre Stadt der Reichsparteitage Nürnberg. Ein Bericht über die nationalsozialistische Aufbauarbeit ... Nürnberg 1938
Der größte Bauplatz der Welt. In: Nürnberger Schau. 1 (1939)
Holz, Karl: Der Kampf um Nürnberg. In: Illustrierter Beobachter 4 (1929). S. 370 ff
Luppe, Hermann: Mein Leben. Nürnberg 1977
Der Parteitag der Freiheit (der Ehre usf. – vor 1935 unter dem Titel: Der Kongreß zu Nürnberg). Offizieller Bericht ... München 1933 ff
Der Prozeß gegen die Hauptkriegsverbrecher vor dem Internationalen Militärgerichtshof. Nürnberg 1948. Band 28, S. 55 ff
Reichstagung in Nürnberg. Berlin 1933 ff
Statistisches Jahrbuch der Stadt Nürnberg für 1930 ff
Streicher, Julius: Kampf dem Weltfeind. Reden aus der Kampfzeit. Nürnberg 1938
Verwaltungsbericht der Stadt Nürnberg 1930/31 ff (ab 1933/34 unter dem Titel: Bericht über die Arbeit ... ab 1935/36 unter dem Titel: Rechenschaftsbericht ...)
Winter, Helmut (Hrsg): Zwischen Kanzel und Kerker. Augenzeugen berichten vom Kirchenkampf. München 1982
Witetschek, Helmut: Die kirchliche Lage in Bayern nach den Regierungspräsidentenberichten. Band 2. Mainz 1967

Zeitungen
AUB = Acht-Uhr-Blatt Nürnberg
FK = Fränkischer Kurier Nürnberg
FT = Fränkische Tagespost Nürnberg
FTZ = Fränkische Tageszeitung Nürnberg
NFIG = Nürnberg-Fürther Israelitisches Gemeindeblatt
NN = Nürnberger Nachrichten
NZ = Nürnberger Zeitung
STÜ = Der Stürmer Nürnberg

Baier, Helmut: Die Deutschen Christen Bayerns im Rahmen des bayerischen Kirchenkampfes. Nürnberg 1968
Baier, Helmut: Kirchenkampf in Nürnberg 1933–1945. Nürnberg 1973
Beer, Helmut: Widerstand gegen den Nationalsozialismus in Nürnberg. Nürnberg 1976
Burden, Hamilton T.: Die programmierte Nation. Die Nürnberger Reichsparteitage. Gütersloh 1967
Deuerlein, Ernst: 150 Jahre Nürnberger Stadtrat. In: Mitteilungen des Vereins für Geschichte der Stadt Nürnberg. 57 (1970). S. 307 ff
Grieser, Utho: Himmlers Mann in Nürnberg. Nürnberg 1974
Hahn, Fred: Lieber Stürmer. Leserbriefe an das NS-Kampfblatt. Stuttgart 1978
Hambrecht, Rainer: Der Aufstieg der NSDAP in Mittel- und Oberfranken. Nürnberg 1976
Hanschel, Hermann: Oberbürgermeister Hermann Luppe. Nürnberg 1977
Henke, Josef: Die Reichsparteitage der NSDAP in Nürnberg 1933–1938. In: Aus der Arbeit des Bundesarchivs. Boppard 1977. S. 398 ff
Hitlers Städte. Baupolitik im Dritten Reich. Köln, Wien 1978
Lenman, Robin: Julius Streicher and the origins of the NSDAP in Nuremberg. In: A. Nicholls/E. Matthias: German democracy and the triumph of Hitler. London 1971
Lösener, Bernhard: Als Rassereferent im Reichsministerium des Innern. In: Vierteljahrshefte für Zeitgeschichte. 9 (1961). S. 264 ff
Müller, Arnd: Geschichte der Juden in Nürnberg. Nürnberg 1968
Neuhäußer-Wespy, Ulrich: Die KPD in Nordbayern 1919–1933. Nürnberg 1981
Nürnberg – Geschichte einer europäischen Stadt. Hrsg. von Gerhard Pfeiffer. München 1971
Reiche, Eric G.: The development of the SA in Nuremberg (Maschinenschriftl. Diss.). Delaware 1972
Rückel, Gert: Die Fränkische Tagespost. Nürnberg 1964
Rückkehr unerwünscht. Joseph Drexels «Reise nach Mauthausen» ... Hrsg. von Wilh. Raimund Beyer. Stuttgart 1978
Rühl, Manfred: Der Stürmer und sein Herausgeber (Maschinenschriftl. Diplomarbeit). Nürnberg 1960
Schicksal jüdischer Mitbürger in Nürnberg 1850–1945. Nürnberg 1965
Schirmer, Hermann: Das andere Nürnberg. Antifaschistischer Widerstand in der Stadt der Reichsparteitage. Frankfurt 1974
Schwarz, Klaus Dieter: Weltkrieg und Revolution in Nürnberg. Stuttgart 1971
Varga, William P.: The Number One Nazi Jew-Baiter. A Political Biography of Julius Streicher. New York 1981
Zelnhefer, Siegfried: «Parteitag der Ehre». Der Reichsparteitag der NSDAP 1936. (Maschinenschriftl. Zulassungsarbeit.) Nürnberg 1981

Nachweise

Zu Kap. 1: Die Jahre davor

1 FK 14.1.1919. S. 3
2 NZ 2.8.1920. S. 3
3 zit. nach: Hambrecht, Aufstieg. S. 34
4 Streicher, Kampf. S. 19
5 STÜ Nr. 35/1925–6/1926–28/1926
6 Luppe, Mein Leben. S. 46
7 BHStA: MInn 81576
8 Evang. Gemeindeblatt Nürnberg. Nr. 34/1926. S. 407
9 AUB 30.7.1932, S. 4
10 FT 3.8.1932. 1. Beilage, S.1
11 FT 3.8.1932. 1. Beilage, S.1
12 SPD Nürnberg. Jahresbericht 1932. S. 16

Zu Kap. 2: Machtübernahme – Gleichschaltung ...

1 Luppe, Mein Leben. S. 287
2 FK 4.3.1933. S. 7
3 FT 8.2.–13.2.–4.3.1933
4 NZ 6.3.1933. S. 6
5 NZ 6.3.1933. S. 6
5a FTZ 9.3.1939. S. 4
6 FT 7.3.1946. S. 1
7 FK 14.3.1933. S. 6
8 zit. nach: Grieser, Himmlers Mann. S. 27f
9 zit. nach: Grieser a. a. O., S. 56
10 StadtAN: Rep. C7 Nr. C Stadtratsprotokolle 263 (1)
11 StAN: Reg. v. Mfr. KdI Abg. 1978 Nr. 2926C
12 Verwaltungsbericht 1934/35. S. 61
13 FTZ 6.7.1933. S. 3
14 Verwaltungsbericht 1937/38. I S. 8f
15 Verwaltungsbericht 1933/34. S. 68
16 Liste der beschlagnahmten und verbrannten Werke in: Franz Roh, Entartete Kunst. 1962. S. 242ff
17 FK 18.9. – FK 14.4. – FTZ 26.6.1933
18 Verwaltungsbericht 1933/34. S. 32
19 FK 21.10.1933. S. 11
20 Verwaltungsbericht 1932/33. S. 72
21 StAN: Pol N-F 357 (Pol. Nachrichten Nr. 7. S. 1)
22 FTZ 2.7.1934. S. 1
23 Das evang. Deutschland. Nr. 17/1933. S. 144
24 FK 24.7.1933. S. 5
25 zit. nach: Witetschek, Kirchl. Lage. II, S. 37
26 O. Daumiller, Geführt im Schatten zweier Kriege. 1961. S. 65
27 BHStA: MA 107291 (Vormerkung RR Holz vom 19.10.1934. S. 2)
28 Verwaltungsbericht 1934/35. S. 66f
29 FTZ 20.1.1934. S. 6
30 Verwaltungsbericht 1936/37. XII S. 32
31 FK 25.11.1937. S. 9
32 Fünf Jahre. S. 169

Zu Kap. 3: Das «andere Nürnberg»

1 BHStA: MA 106312 (Bericht vom 25.5.1933. Bl. 52)
2 BHStA: MInn 71719 (Bericht des Bay. Justizmin. 6.9.1933. S. 2)
3 NN 18.2.1948. S. 3
4 BHStA: MA 104990 (Bericht «Die illegalen marxistischen Bewegungen ...» S. 6)
5 FT 8.2.1933. 1. Beilage, S. 1
6 NZ 6.2.1935 – FTZ 6.2.1935
7 AsD: Emigr. Sopade, Mappe 31, SPD-Bezirk 1 (Bericht vom 2.7.1934. S. 3)
8 AsD: a. a. O. (Ergänzung zum Juli-Bericht vom 25.7.1934. S. 5)
9 J. Drexel, Die Gruppe ‹Widerstand› ... In: Schirmer, Das andere Nürnberg. S. 163
10 J. Drexel, a. a. O., S. 166
11 StAN: Sg 168/33 (= neue Nr. 121)
12 FK 19.10.1938. S. 7
13 zit. nach: Witetschek, Kirchl. Lage. II S. 33
14 H. Baier und E. Henn, Chronologie des bay. Kirchen- kampfs 1933–45. Nürnberg 1969. S. 273
15 zit. nach: Witetschek, Kirchl. Lage. II S. 40
16 zit. nach: Witetscheck a. a. O., S. 240

Zu Kap. 4: Die «Stadt der Reichsparteitage»

1 N. Henderson, Fehlschlag einer Mission. Zürich 1940. S. 78f
2 StadtAN: C 7/1/886 (Niederschrift vom 27.7.1933. S. 1)
3 Reichstagung 1933. S. 52
4 Der Parteitag der Arbeit. S. 28
5 Hitlers Städte. S. 17
6 BA: NS 22/147 (Bericht über die Revision RPT 1936. S. 1)
7 BA: NS 22/151 (Bericht der Aufmarschleitung RPT 1938. S. 2)
7a BA: NS 22/146 (Bericht der Organisationsleitung RPT 1935. TZ. 38)
8 W. L. Shirer, Berlin Diary 1934–1941. New York 1941. p. 17f
9 N. Henderson, Fehlschlag. S. 80
10 Verwaltungsbericht 1936/37 XII S. 25
11 FK 16.9.1936. S. 7
12 Der Parteitag der Freiheit. S. 220
13 Der Parteitag Großdeutschland. S. 43
14 H. Picker, Hitlers Tischgespräche im Führerhauptquartier. Neuausgabe. Stuttgart 1976. S. 425
15 Der Parteitag der Arbeit. S. 42
16 BA: NS 1/23 (Sitzungsbericht 19.5.1937. S. 2)

Zu Kap. 5: Streicher – «Stürmer» – «Nürnberger Gesetze»

1 NFIG Nr. 2/1933. S. 1
2 NFIG Nr. 3/1933. S. 37
3 z. B. FK 28.10. und 31.10.1933

4   NZ 7. 4. 1933. S. 5 – FTZ 4. 7. 1933. S. 3
5   FTZ 6. 10. 1933. S. 6
6   FTZ 30. 9. 1933. S. 4
7   FTZ 25. 4. 1934. S. 5
8   FTZ 28. 9. 1933. S. 5
9   FK 7. 3. 1934. S. 6
10 FTZ 14. 3. 1934. S. 6
11 FK 23. 12. 1938. S. 9
12 FTZ 10. 1. 1939. S. 3
13 FTZ 22. 12. 1936. S. 3
14 Fink, Judenfrage. S. 3
15 Fink, a. a. O., S. 7
16 E. Hiemer, Der Giftpilz. Nürnberg 1938. S. 7
17 FTZ 27. 5. 1936. S. 10
18 StAN: Reg. v. Mfr. KdI Abg. 1978. Nr. 1010 (Schreiben des Amts für Volksgesundheit vom 29. 7. 1937)
19 StAN: Reg. v. Mfr. KdI Abg. 1978. Nr. 1119 (Schreiben des Amts für Volksgesundheit vom 8. 1. 1941) (Namen geändert)
20 FTZ 17. 12. 1937. S. 3
21 Abgedruckt bei: H. Uhlig, Die Warenhäuser im Dritten Reich. Köln 1956, S. 77
22 FTZ 11. 8. 1938. S. 1f
23 StadtAN: QNG 407
24 FK 11. 11. 1938. S. 6
25 FK 6. 1. 1938. S. 8
26 FTZ 6. 1. 1938. S. 7
27 FTZ 6. 12. 1938. S. 4
28 AsD: Emigr. Sopade, Mappe 31, SPD-Bezirk 1 (Ergänzung zum Juli-Bericht vom 25. 7. 1934. S. 1)
29 Der Parteitag der Arbeit. S. 117
30 FK 11. 11. 1938, S. 6
31 FTZ 11. 11. 1938. S. 3
32 FTZ 11. 8. 1938. S. 3

99 *Die Innenstadt Nürnbergs bei Kriegsende 1945.*

«Wir leben in einer großen Zeit. Die Saat, die wir gesät haben, geht auf. Die Würfel sind gefallen.»

Der «Frankenführer» Julius Streicher auf einer Großkundgebung in Nürnberg am 10. August 1938